한 개념씩 쉬운 문제로 매일매일 공부하자!

STARTUP

스타트업 중학수학

3-하

이룸이앤비
Education&Books

반복 학습이 진정한 실력을 키운다!

수학을 어떻게 하면 잘 할 수 있을까요?

『반복 학습이 기적을 만든다』라는 책의 저자는

"공부를 잘하는 학생은 '반복'에 강한 학생이다.

그들은 자기가 얼마만큼 '반복'하면

그 지식을 자기 것으로 만들 수 있는지 잘 알고 있다."

고 말하면서 반복하는 습관을 가지는 것이

실력을 높이는 방법이라고 설명하였습니다.

숨마쿰라우데 스타트업은 반복 학습의 중요성을 담아

한 개념 한 개념 체계적으로 구성한 교재입니다.

한 개념 한 개념 매일매일 꾸준히 공부하고

부족한 개념은 반복하여 풀어 봄으로써

진정한 실력을 쌓을 수 있기를 바랍니다.

집필진과 검토진 쌤들의 추천 코멘트!!
반복수학교재스타트업 이래서 추천합니다

김승훈쌤 (세종과학고)
기초를 다지는 것은 실력 향상을 위해서 중요합니다. 단계형 교육과정인 수학에서는 더욱 그렇습니다. 스타트업은 기초문제를 유형별로 나누고 문제를 해결하기 위한 방법과 노하우를 풍부하게 제공하여 혼자서도 충분히 학습할 수 있는 책입니다. 여러분의 수학실력 향상을 위한 첫 계단이 될 수 있는 책입니다.

김광용쌤 (용산고)
수학은 복잡하고 어렵다는 편견은 잠시 내려놓고 천천히 할 수 있는 것부터 해볼까요? 꾸준히 운동하면 근육이 생기는 것처럼 수학에서도 반복적인 문제풀이는 수학적 능력을 기르는 좋은 방법이 될 수 있습니다. 스타트업이 여러분에게 수학하는 즐거움을 알게 해주는 그 시작이 되었으면 합니다.

김용환쌤 (세종과학교)
아무리 개념을 잘 알아도 반복적으로 익혀놓지 않으면 실제 시험에서 당황하기 쉽습니다. 수학을 잘 한다는 것은 내용을 잘 알고 있는 것인데 그 내용을 잘 알기까지 많은 반복 연습이 따르는 것입니다. 자기 것으로 만드는 반복 연습에 스타트업이 많은 도움을 줄 것입니다.

이서진쌤 (메가스터디 강사)
유형별로 반복적인 문제풀이를 해나감으로써 개념을 익히기 안성맞춤입니다. 특히 개념을 익히기에 쉬운 문제들로 구성되어 있어 수학을 시작하는 학생들에게 부담감이 없을 것 같습니다. 또한 유형을 공부하고 난 다음 리뷰테스트로 한 번 더 복습할 수 있게 되어 있어 좋습니다. 고등 수학 스타트업으로 시작해 보세요!

왕성욱쌤 (중계동)
시험에 자주 출제되는 유형별로 개념 설명이 잘 되어 있고 같은 페이지에 바로 적용해서 풀 수 있는 확인문제들이 있어서 개념을 확실하게 다지기에 좋은 교재입니다. 수학을 두려워하는 학생들도 차근차근 풀어나가다 보면 자신감을 갖고 기본기를 잘 쌓을 수 있는 교재입니다.

주예지쌤 (메가스터디 강사)
스타트업은 반복학습하여 익힐 수 있도록 문제들이 잘 구성되어 있습니다. 꼭 알아야 하는 기본 개념과 개념을 이해하고 문제에 적용하는 팁이 알차게 들어 있는 교재입니다. 쉬운 문제로 구성되어 있어 매일매일 부담없이 공부할 수 있는 교재입니다.

정연화쌤 (중계동)
문제만 많이 구성되어 있는 느낌의 교재들은 책을 펼치기도 전에 빡빡한 디자인에 지치기 쉬운데요. 스타트업은 한 페이지에 한 개념씩 구성되어 있어 가볍게 시작할 수 있습니다. 개념이해를 돕는 유형별 기초문제! 풍부한 문제해결의 노하우와 팁! 알기 쉽고 자세한 풀이! 최근 수학의 기조인 개념이해와 기초실력 향상을 반영한 책입니다.

김미경쌤 (인천)
집에서 혼자 공부할 수 있는 교재이고 학원 수업용, 숙제용으로 안성맞춤인 교재입니다. 쉬운 문제들이지만 학교 시험에 꼭 나오는 문제들로 구성되어 있어 좋습니다. 특히 단순 계산만 하는 것이 아니라 학교시험맛보기 코너를 통해 시험 문제 유형을 확인할 수 있어 좋았습니다. 주위 학생들에게 꼭 추천하고 싶은 교재입니다.

1 숨마쿰라우데 **스타트업**의 개념 설명은?

❶ 소단원별로 중요 개념을 한 눈에 볼 수 있게 구성했습니다.

❷ 한 개념 한 개념씩 다시 풀어 설명해 놓았습니다.

❸ 개념마다 선생님의 팁을 통해 꼭 기억할 부분을 확인할 수 있습니다.

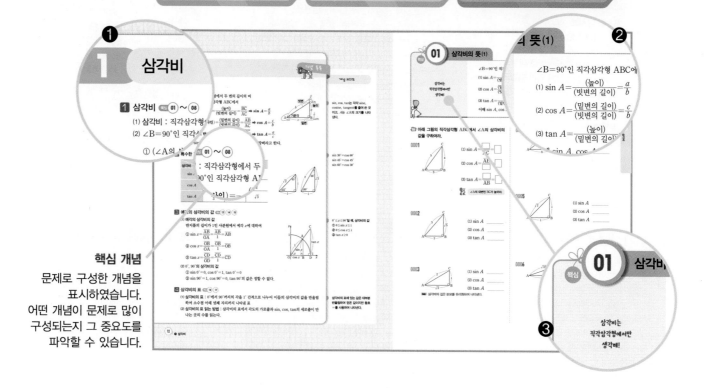

핵심 개념
문제로 구성한 개념을 표시하였습니다. 어떤 개념이 문제로 많이 구성되는지 그 중요도를 파악할 수 있습니다.

소단원별 학습 플래너를 이용하여 스스로 공부 계획을 세워 봅시다~

YOU CAN DO IT!
스타트업으로 공부하면

❶ 계산력이 향상된다.

❷ 수학에 자신감이 생긴다.

❸ 스스로 공부하는 습관이 생긴다.

2 숨마쿰라우데 **스타트업**의 **문제 구성**은?

STRUCTURE

❶ 각 개념을 확실히 잡을 수 있도록 쉬운 문제로 구성했습니다.

❷ 학교 시험 맛보기로 실전 연습을 할 수 있습니다.

❸ Mini Review Test를 통해 실력을 확인할 수 있습니다.

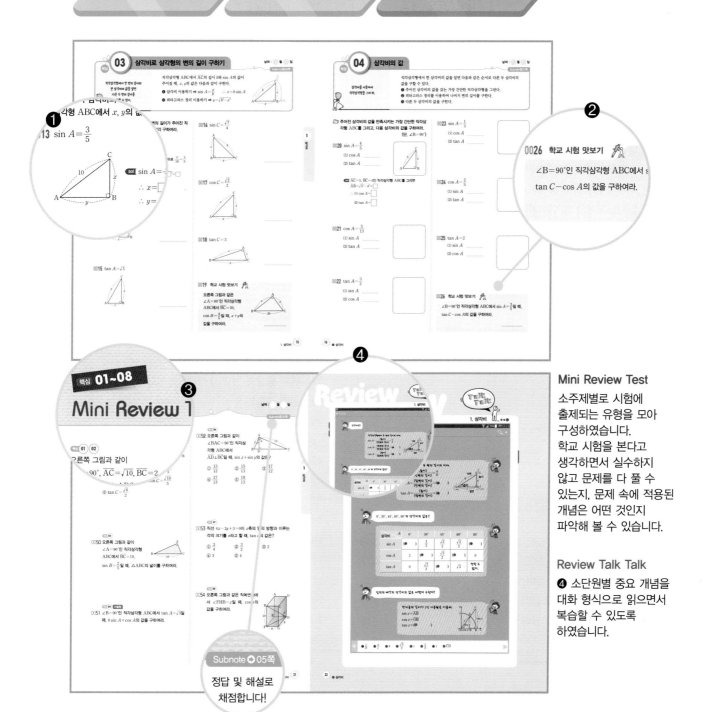

Mini Review Test
소주제별로 시험에 출제되는 유형을 모아 구성하였습니다.
학교 시험을 본다고 생각하면서 실수하지 않고 문제를 다 풀 수 있는지, 문제 속에 적용된 개념은 어떤 것인지 파악해 볼 수 있습니다.

Review Talk Talk
❹ 소단원별 중요 개념을 대화 형식으로 읽으면서 복습할 수 있도록 하였습니다.

차례

CONTENTS

![숨마쿰라우데 STARTUP 중학수학 3-하]

30일 완성 학습 PROJECT

● 핵심개념 78개를 하루에 30분씩 30일 동안 내 것으로 만들어 보자!

START UP 플래너

		핵심	차시	학습 날짜	이해도
1 삼각비	1. 삼각비	01~04	01 일차	월 일	☺ ☹
		05~07	02 일차	월 일	☺ ☹
		08 ┃ Review test	03 일차	월 일	☺ ☹
		09~12	04 일차	월 일	☺ ☹
		13~15	05 일차	월 일	☺ ☹
		16~17 ┃ Review test	06 일차	월 일	☺ ☹
	2. 삼각비의 활용	01~03	07 일차	월 일	☺ ☹
		04~05	08 일차	월 일	☺ ☹
		06~07	09 일차	월 일	☺ ☹
		08 ┃ Review test	10 일차	월 일	☺ ☹
		09~10	11 일차	월 일	☺ ☹
		11~12	12 일차	월 일	☺ ☹
		13 ┃ Review test	13 일차	월 일	☺ ☹
2 원과 직선	3. 원과 직선	01~03	14 일차	월 일	☺ ☹
		04~05 ┃ Review test	15 일차	월 일	☺ ☹
		06~09	16 일차	월 일	☺ ☹
		10~12	17 일차	월 일	☺ ☹
		13~14 ┃ Review test	18 일차	월 일	☺ ☹
3 원주각	4. 원주각	01~03	19 일차	월 일	☺ ☹
		04~05	20 일차	월 일	☺ ☹
		06~08 ┃ Review test	21 일차	월 일	☺ ☹
		09~12	22 일차	월 일	☺ ☹
		13~14	23 일차	월 일	☺ ☹
		15 ┃ Review test	24 일차	월 일	☺ ☹
4 통계	5. 대푯값	01~05	25 일차	월 일	☺ ☹
		06 ┃ Review test	26 일차	월 일	☺ ☹
	6. 산포도	01~04	27 일차	월 일	☺ ☹
		05~06 ┃ Review test	28 일차	월 일	☺ ☹
	7. 산점도와 상관관계	01~04	29 일차	월 일	☺ ☹
		05~07 ┃ Review test	30 일차	월 일	☺ ☹

공부는 이렇게~

01	계획 세우기	작심 3일이 되지 않도록 자신에게 맞는 계획표를 세워 보자!
02	개념 익히기	매쪽 문제 풀이를 하기 전 개념과 원리를 확실하게 이해하자!
03	문제 풀기	개념을 다양한 문제로 익혀 보자!
04	오답노트 만들기	문제 풀이 후 틀린 문제는 오답노트에 정리하자! [key] 또는 [말풍선]에서 참고해야 할 사항도 오답노트에 정리하자!
05	오답노트 복습	다음날 공부하기 전에 오답노트를 꼭 점검하고 진도를 나가자!

START UP 메모

공부하면서 꼭 기억해야 할 내용을 정리해 보세요.

1

삼각비

1 | 삼각비

스스로
공부 계획
세우기

삼각비

1 삼각비 핵심 01 ～ 08

(1) **삼각비** : 직각삼각형에서 두 변의 길이의 비

(2) ∠B＝90°인 직각삼각형 ABC에서

① (∠A의 **사인**)＝$\dfrac{(높이)}{(빗변의 길이)}$＝$\dfrac{\overline{BC}}{\overline{AC}}$ ➡ $\sin A=\dfrac{a}{b}$

② (∠A의 **코사인**)＝$\dfrac{(밑변의 길이)}{(빗변의 길이)}$＝$\dfrac{\overline{AB}}{\overline{AC}}$ ➡ $\cos A=\dfrac{c}{b}$

③ (∠A의 **탄젠트**)＝$\dfrac{(높이)}{(밑변의 길이)}$＝$\dfrac{\overline{BC}}{\overline{AB}}$ ➡ $\tan A=\dfrac{a}{c}$

이때 $\sin A$, $\cos A$, $\tan A$를 통틀어 ∠A의 **삼각비**라고 한다.

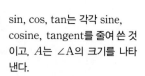

sin, cos, tan는 각각 sine, cosine, tangent를 줄여 쓴 것이고, A는 ∠A의 크기를 나타낸다.

2 특수한 각의 삼각비의 값 핵심 09 ～ 12

삼각비 ＼ A	30°	45°	60°
$\sin A$	$\dfrac{1}{2}$	$\dfrac{\sqrt{2}}{2}$	$\dfrac{\sqrt{3}}{2}$
$\cos A$	$\dfrac{\sqrt{3}}{2}$	$\dfrac{\sqrt{2}}{2}$	$\dfrac{1}{2}$
$\tan A$	$\dfrac{\sqrt{3}}{3}$	1	$\sqrt{3}$

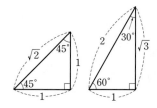

$\sin 30°＝\cos 60°$
$\sin 45°＝\cos 45°$
$\sin 60°＝\cos 30°$

3 예각의 삼각비의 값 핵심 13 14 15

(1) **예각의 삼각비의 값**

반지름의 길이가 1인 사분원에서 예각 x에 대하여

① $\sin x=\dfrac{\overline{AB}}{\overline{OA}}=\dfrac{\overline{AB}}{1}=\overline{AB}$

② $\cos x=\dfrac{\overline{OB}}{\overline{OA}}=\dfrac{\overline{OB}}{1}=\overline{OB}$

③ $\tan x=\dfrac{\overline{CD}}{\overline{OD}}=\dfrac{\overline{CD}}{1}=\overline{CD}$

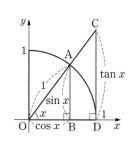

$0°≤x≤90°$일 때, 삼각비의 값
① $0≤\sin x≤1$
② $0≤\cos x≤1$
③ $\tan x≥0$

(2) **0°, 90°의 삼각비의 값**

① $\sin 0°=0$, $\cos 0°=1$, $\tan 0°=0$

② $\sin 90°=1$, $\cos 90°=0$, $\tan 90°$의 값은 정할 수 없다.

4 삼각비의 표 핵심 16 17

(1) **삼각비의 표** : 0°에서 90°까지의 각을 1° 간격으로 나누어 이들의 삼각비의 값을 반올림하여 소수점 아래 넷째 자리까지 나타낸 표

(2) **삼각비의 표 읽는 방법** : 삼각비의 표에서 각도의 가로줄과 sin, cos, tan의 세로줄이 만나는 곳의 수를 읽는다.

삼각비의 표에 있는 값은 대부분 반올림하여 얻은 값이지만 등호 ＝를 사용하여 나타낸다.

01 삼각비의 뜻(1)

날짜 : ● 월 ● 일

삼각비는
직각삼각형에서만
생각해!

∠B＝90°인 직각삼각형 ABC에서

(1) $\sin A=\dfrac{(높이)}{(빗변의 길이)}=\dfrac{a}{b}$

(2) $\cos A=\dfrac{(밑변의 길이)}{(빗변의 길이)}=\dfrac{c}{b}$

(3) $\tan A=\dfrac{(높이)}{(밑변의 길이)}=\dfrac{a}{c}$

이때 $\sin A$, $\cos A$, $\tan A$를 통틀어 ∠A의 **삼각비**라고 한다.

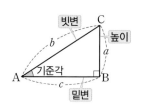

📁 아래 그림의 직각삼각형 ABC에서 ∠A의 삼각비의 값을 구하여라.

0001

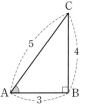

(1) $\sin A=\dfrac{\boxed{}}{\overline{AC}}=\boxed{}$

(2) $\cos A=\dfrac{\overline{AB}}{\boxed{}}=\boxed{}$

(3) $\tan A=\dfrac{\boxed{}}{\overline{AB}}=\boxed{}$

 ∠A의 대변인 $\overline{BC}$가 높이야.

0002

(1) $\sin A$ ＿＿＿＿

(2) $\cos A$ ＿＿＿＿

(3) $\tan A$ ＿＿＿＿

0003

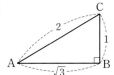

(1) $\sin A$ ＿＿＿＿

(2) $\cos A$ ＿＿＿＿

(3) $\tan A$ ＿＿＿＿

key 삼각비의 값은 분모를 유리화하여 나타낸다.

0004

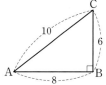

(1) $\sin A$ ＿＿＿＿

(2) $\cos A$ ＿＿＿＿

(3) $\tan A$ ＿＿＿＿

0005

(1) $\sin A$ ＿＿＿＿

(2) $\cos A$ ＿＿＿＿

(3) $\tan A$ ＿＿＿＿

0006

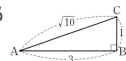

(1) $\sin A$ ＿＿＿＿

(2) $\cos A$ ＿＿＿＿

(3) $\tan A$ ＿＿＿＿

1

삼각비

기준각에 대해
높이와 밑변을
잘 구분해야 해.

한 직각삼각형에서도 삼각비를 구하고자 하는 **기준각**에 따라 높이와 밑변이 바뀐다. 이때 기준각의 대변이 높이가 된다.

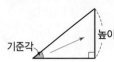

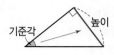

📁 아래 그림의 직각삼각형 ABC에서 다음 삼각비의 값을 구하여라.

0007

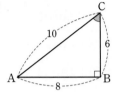

(1) $\sin C = \dfrac{\boxed{}}{\overline{AC}} = \boxed{}$

(2) $\cos C = \dfrac{\boxed{}}{\overline{AC}} = \boxed{}$

(3) $\tan C = \dfrac{\boxed{}}{\overline{BC}} = \boxed{}$

회전시킨 모양을
떠올려도 돼.

0008

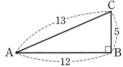

(1) $\sin C$ _____

(2) $\cos C$ _____

(3) $\tan C$ _____

0009

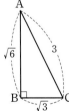

(1) $\sin A$ _____

(2) $\cos A$ _____

(3) $\tan A$ _____

📁 아래 그림의 직각삼각형 ABC에서 다음 삼각비의 값을 구하여라.

0010

(1) $\sin C$ _____

(2) $\cos C$ _____

(3) $\tan C$ _____

key $\overline{AC} = \sqrt{15^2 + 8^2}$

피타고라스 정리를 이용해서
나머지 한 변의 길이를 먼저 구해.

0011

(1) $\sin C$ _____

(2) $\cos C$ _____

(3) $\tan C$ _____

0012 학교 시험 맛보기

오른쪽 그림과 같은 직각
삼각형 ABC에서
$\sin B + \sin C$의 값을 구
하여라.

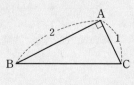

_____

03 삼각비로 삼각형의 변의 길이 구하기

핵심

직각삼각형에서 한 변의 길이와
한 삼각비의 값을 알면
다른 두 변의 길이를
구할 수 있어.

직각삼각형 ABC에서 $\overline{AC}$의 길이 b와 $\sin A$의 값이
주어질 때, x, y의 값은 다음과 같이 구한다.

❶ 삼각비 이용하기 ➡ $\sin A = \dfrac{x}{b}$ $\therefore x = b\sin A$

❷ 피타고라스 정리 이용하기 ➡ $y = \sqrt{b^2 - x^2}$

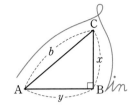

📁 다음과 같이 삼각비의 값과 한 변의 길이가 주어진 직각삼각형 ABC에서 x, y의 값을 각각 구하여라.

0013 $\sin A = \dfrac{3}{5}$

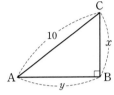

sol $\sin A = \dfrac{x}{10}$이므로 $\dfrac{x}{10} = \dfrac{3}{5}$

$\therefore x = \boxed{}$

$\therefore y = \sqrt{10^2 - \boxed{}^2} = \boxed{}$

0014 $\cos A = \dfrac{2}{3}$

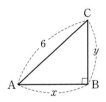

_____

0015 $\tan A = \sqrt{3}$

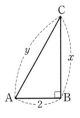

_____

0016 $\sin C = \dfrac{\sqrt{7}}{4}$

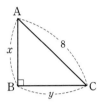

_____

0017 $\cos C = \dfrac{\sqrt{2}}{2}$

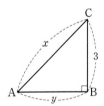

_____

0018 $\tan C = 3$

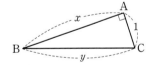

_____

0019 학교 시험 맛보기

오른쪽 그림과 같은
$\angle A = 90°$인 직각삼각형
ABC에서 $\overline{BC} = 20$,
$\cos B = \dfrac{4}{5}$일 때, $x + y$의
값을 구하여라.

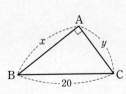

_____

04 삼각비의 값

핵심

삼각비를 이용하여
직각삼각형을 그려 봐.

직각삼각형에서 한 삼각비의 값을 알면 다음과 같은 순서로 다른 두 삼각비의
값을 구할 수 있다.
❶ 주어진 삼각비의 값을 갖는 가장 간단한 직각삼각형을 그린다.
❷ 피타고라스 정리를 이용하여 나머지 변의 길이를 구한다.
❸ 다른 두 삼각비의 값을 구한다.

📁 주어진 삼각비의 값을 만족시키는 가장 간단한 직각삼각형 ABC를 그리고, 다음 삼각비의 값을 구하여라.
(단, ∠B=90°)

0020 $\sin A = \dfrac{4}{5}$

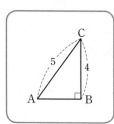

(1) $\cos A$ _____

(2) $\tan A$ _____

sol $\overline{AC}=5$, $\overline{BC}=4$인 직각삼각형 ABC를 그리면

$\overline{AB}=\sqrt{5^2-4^2}=\boxed{}$

∴ (1) $\cos A=\boxed{}$

(2) $\tan A=\boxed{}$

0021 $\cos A = \dfrac{5}{13}$

(1) $\sin A$ _____

(2) $\tan A$ _____

0022 $\tan A = \dfrac{3}{2}$

(1) $\sin A$ _____

(2) $\cos A$ _____

0023 $\sin A = \dfrac{1}{3}$

(1) $\cos A$ _____

(2) $\tan A$ _____

0024 $\cos A = \dfrac{2}{5}$

(1) $\sin A$ _____

(2) $\tan A$ _____

0025 $\tan A = 2$

(1) $\sin A$ _____

(2) $\cos A$ _____

0026 학교 시험 맛보기

∠B=90°인 직각삼각형 ABC에서 $\sin A=\dfrac{3}{5}$일 때,
$\tan C - \cos A$의 값을 구하여라.

_____

05 닮음을 이용한 삼각비의 값 (1)

Subnote ○ 03쪽

닮은 직각삼각형에서 크기가 같은 각에 대한 삼각비의 값은 같아.

직각삼각형의 닮음을 이용하여 삼각비의 값을 구할 때에는 다음과 같은 순서로 구한다.
❶ 닮은 직각삼각형을 찾는다.
❷ 대응각(크기가 같은 각)을 찾는다.
❸ 삼각비의 값을 구한다.

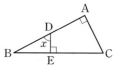

$\triangle DBE \backsim \triangle CBA$이므로
➡ $\angle x = \angle C$

📁 다음 그림과 같은 직각삼각형 ABC에서 $\angle x$의 삼각비의 값을 구하여라.

0027

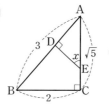

sol $\triangle DBE \backsim \triangle ABC$이므로 $\angle x = \boxed{}$

∴ $\sin x = \sin \boxed{} = \boxed{}$

$\cos x = \cos \boxed{} = \boxed{}$

$\tan x = \tan \boxed{} = \boxed{}$

0028

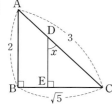

(1) $\sin x$ _____

(2) $\cos x$ _____

(3) $\tan x$ _____

0029

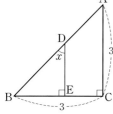

(1) $\sin x$ _____

(2) $\cos x$ _____

(3) $\tan x$ _____

key 피타고라스 정리를 이용하여 $\overline{AB}$의 길이를 구한다.

0030

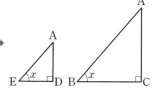

sol $\triangle ADE \backsim \boxed{}$이므로 $\angle x = \boxed{}$

∴ $\sin x = \sin \boxed{} = \boxed{}$

$\cos x = \cos \boxed{} = \boxed{}$

$\tan x = \tan \boxed{} = \boxed{}$

0031

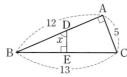

(1) $\sin x$ _____

(2) $\cos x$ _____

(3) $\tan x$ _____

0032 학교 시험 맛보기 ✏

오른쪽 그림과 같은 직각삼각형 ABC에서 $\overline{DE} \perp \overline{BC}$일 때, $\sin x \times \cos x$의 값을 구하여라.

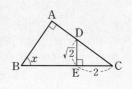

_____

닮은 직각삼각형에서
크기가 같은 각의
삼각비의 값은 같아.

직각삼각형의 닮음을 이용하여 삼각비의 값을 구할 때
에는 다음과 같은 순서로 구한다.
❶ 닮은 직각삼각형을 찾는다.
❷ 대응각(크기가 같은 각)을 찾는다.
❸ 삼각비의 값을 구한다.

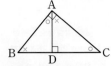

△ABC∽△DBA∽△DAC
➡ ∠DAC=∠B
　 ∠BAD=∠C

0033 다음 그림과 같은 직각삼각형 ABC에 대하여 □ 안
에 알맞은 것을 써넣어라.

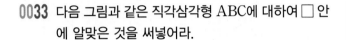

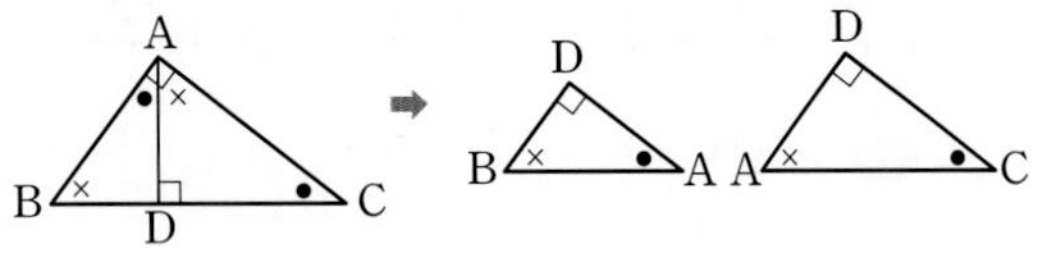

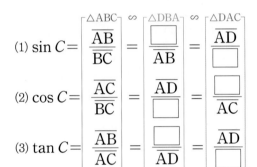

$(1)\ \sin C=\dfrac{\overline{AB}}{\overline{BC}}=\dfrac{\boxed{}}{\overline{AB}}=\dfrac{\overline{AD}}{\boxed{}}$

$(2)\ \cos C=\dfrac{\overline{AC}}{\overline{BC}}=\dfrac{\overline{AD}}{\boxed{}}=\dfrac{\boxed{}}{\overline{AC}}$

$(3)\ \tan C=\dfrac{\overline{AB}}{\overline{AC}}=\dfrac{\boxed{}}{\overline{AD}}=\dfrac{\overline{AD}}{\boxed{}}$

0034 오른쪽 그림과 같이
∠A＝90°인 직각삼각형
ABC에서 $\overline{BC}\perp\overline{AD}$일 때,
다음을 구하여라.

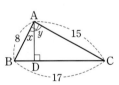

(1) ∠x의 삼각비의 값

　sol △DBA∽△ABC이므로 ∠x=□

　∴ sin x=sin □=□

　cos x=cos □=□

　tan x=tan □=□

(2) ∠y의 삼각비의 값

　sol ∠y=∠B이므로

　sin y=□ , cos y=□ , tan y=□

0035 오른쪽 그림과 같은 직
각삼각형 ABC에서
$\overline{BC}\perp\overline{AD}$일 때, 다음을
구하여라.

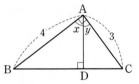

(1) $\overline{BC}$의 길이 ＿＿＿＿＿＿

(2) ∠x의 삼각비의 값

　　　　　　　　　＿＿＿＿＿＿

(3) ∠y의 삼각비의 값

　　　　　　　　　＿＿＿＿＿＿

0036 오른쪽 그림과 같은 직각
삼각형 ABC에서
$\overline{BC}\perp\overline{AD}$일 때, 다음을
구하여라.

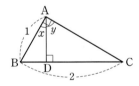

(1) $\overline{AC}$의 길이 ＿＿＿＿＿＿

(2) ∠x의 삼각비의 값

　　　　　　　　　＿＿＿＿＿＿

(3) ∠y의 삼각비의 값

　　　　　　　　　＿＿＿＿＿＿

직선이 x축의 양의 방향과 이루는 각의 크기가 α일 때, 직선의 기울기는 $\tan\alpha$야.

직선 $y=ax+b$가 x축의 양의 방향과 이루는 예각의 크기를 α, 직선이 x축, y축과 만나는 점을 A, B라고 하면

$$\sin\alpha=\frac{\overline{OB}}{\overline{AB}},\quad \cos\alpha=\frac{\overline{OA}}{\overline{AB}},\quad \tan\alpha=\frac{\overline{OB}}{\overline{OA}}$$

이때 $\tan\alpha$의 값은 직선의 기울기 a와 같다.

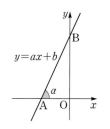

0037 오른쪽 그림과 같이 일차함수 $y=\dfrac{4}{3}x+4$의 그래프가 x축의 양의 방향과 이루는 각의 크기를 α라고 할 때, 다음을 구하여라.

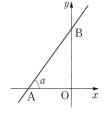

(1) $\overline{OA}$, $\overline{OB}$, $\overline{AB}$의 길이

sol A($\square$, 0), B(0, $\square$)이므로

$\overline{OA}=\square$, $\overline{OB}=\square$

직각삼각형 AOB에서

$\overline{AB}=\sqrt{\overline{OA}^2+\overline{OB}^2}=\square$

(2) $\sin\alpha$ _____

(3) $\cos\alpha$ _____

(4) $\tan\alpha$ _____

0038 오른쪽 그림과 같이 일차함수 $y=2x+2$의 그래프가 x축의 양의 방향과 이루는 각의 크기를 α라고 할 때, $\sin\alpha$, $\cos\alpha$, $\tan\alpha$의 값을 각각 구하여라.

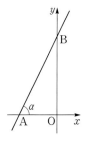

_____

📁 다음 그림과 같이 직선이 x축의 양의 방향과 이루는 각의 크기를 α라고 할 때, $\tan\alpha$의 값을 구하여라.

0039

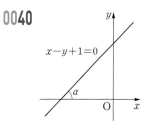

sol $3x-2y+2=0$에서

$y=\square x+\square$

$\therefore \tan\alpha=$(기울기)$=\square$

0040

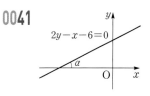

_____

0041

_____

0042 학교 시험 맛보기 ✏️

직선 $4x-y-8=0$이 x축의 양의 방향과 이루는 각의 크기를 α라고 할 때, $\tan\alpha$의 값을 구하여라.

_____

08 입체도형에서 삼각비 이용하기

기준각을 한 예각으로 하는
직각삼각형을 찾아
변의 길이를 구해.

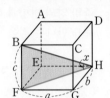 ➡ 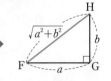 ➡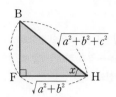

📁 **아래 그림과 같은 정육면체에서 다음을 구하여라.**

0043

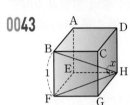

➡ $\cos x$ _____

sol $\triangle$FGH에서 $\overline{\text{FH}}=\sqrt{1^2+1^2}=\boxed{}$

$\triangle$BFH에서 $\overline{\text{BH}}=\sqrt{1^2+(\boxed{})^2}=\boxed{}$

$\therefore \cos x=\dfrac{\overline{\text{FH}}}{\overline{\text{BH}}}=\boxed{}$

0044

$\overline{\text{EG}}$의 길이 _____

$\overline{\text{AG}}$의 길이 _____

➡ $\cos x$ _____

0045

$\overline{\text{FH}}$의 길이 _____

$\overline{\text{FD}}$의 길이 _____

➡ $\sin x$ _____

📁 **아래 그림과 같은 직육면체에서 다음을 구하여라.**

0046

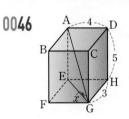

➡ $\cos x$ _____

sol $\triangle$EFG에서 $\overline{\text{EG}}=\sqrt{3^2+4^2}=\boxed{}$

$\triangle$AEG에서 $\overline{\text{AG}}=\sqrt{\boxed{}^2+5^2}=\boxed{}$

$\therefore \cos x=\dfrac{\overline{\text{EG}}}{\overline{\text{AG}}}=\boxed{}$

0047

$\overline{\text{FH}}$의 길이 _____

$\overline{\text{BH}}$의 길이 _____

➡ $\sin x$ _____

0048 학교 시험 맛보기 ✏️

오른쪽 그림과 같은 정육면체에서
$\angle$CEG$=x$일 때, $\sin x \times \cos x$
의 값을 구하여라.

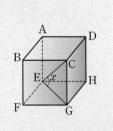

_____

Mini Review Test

날짜 : ◯ 월 ◯ 일

Subnote ○ 05쪽

핵심 01 02

0049 오른쪽 그림과 같이 $\angle B=90°$, $\overline{AC}=\sqrt{10}$, $\overline{BC}=2$ 인 직각삼각형 ABC에 대하여 다음 중 옳지 <u>않은</u> 것은?

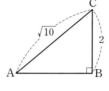

① $\sin A=\dfrac{\sqrt{10}}{5}$ ② $\cos A=\dfrac{\sqrt{15}}{5}$

③ $\tan A=\dfrac{\sqrt{6}}{6}$ ④ $\cos C=\dfrac{\sqrt{10}}{5}$

⑤ $\tan C=\dfrac{\sqrt{6}}{2}$

핵심 03

0050 오른쪽 그림과 같이 $\angle A=90°$인 직각삼각형 ABC에서 $\overline{BC}=10$, $\sin B=\dfrac{2}{5}$일 때, $\triangle ABC$의 넓이를 구하여라.

핵심 04 서술형

0051 $\angle B=90°$인 직각삼각형 ABC에서 $\tan A=\sqrt{3}$일 때, $8\sin A\times\cos A$의 값을 구하여라.

핵심 06

0052 오른쪽 그림과 같이 $\angle BAC=90°$인 직각삼각형 ABC에서 $\overline{AD}\perp\overline{BC}$일 때, $\sin x+\sin y$의 값은?

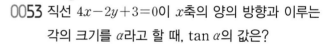

① $\dfrac{13}{12}$ ② $\dfrac{15}{13}$ ③ $\dfrac{17}{12}$

④ $\dfrac{17}{13}$ ⑤ $\dfrac{19}{13}$

핵심 07

0053 직선 $4x-2y+3=0$이 x축의 양의 방향과 이루는 각의 크기를 α라고 할 때, $\tan\alpha$의 값은?

① $\dfrac{3}{4}$ ② $\dfrac{3}{2}$ ③ 2

④ 3 ⑤ 4

핵심 08

0054 오른쪽 그림과 같은 직육면체에서 $\angle FHB=x$일 때, $\cos x$의 값을 구하여라.

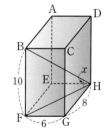

30°, 45°, 60°의
삼각비의 값은 꼭 외워둬!

삼각비 \ A	30°	45°	60°
$\sin A$	$\dfrac{1}{2}$	$\dfrac{\sqrt{2}}{2}$	$\dfrac{\sqrt{3}}{2}$
$\cos A$	$\dfrac{\sqrt{3}}{2}$	$\dfrac{\sqrt{2}}{2}$	$\dfrac{1}{2}$
$\tan A$	$\dfrac{\sqrt{3}}{3}$	1	$\sqrt{3}$

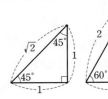

📁 **다음을 계산하여라.**

0055 $\cos 30° + \sin 60°$ _____

0056 $\tan 60° - \tan 30°$ _____

0057 $\cos 45° \div \sin 30°$ _____

0058 $\cos 60° - \tan 45°$ _____

0059 $\sin 45° \times \tan 30°$ _____

0060 $\sin 60° \div \tan 60°$ _____

📁 **다음을 만족시키는 ∠A의 크기를 구하여라.**
$$(단, 0° < A < 90°)$$

0061 $\sin A = \dfrac{\sqrt{2}}{2}$ _____

0062 $\cos A = \dfrac{\sqrt{3}}{2}$ _____

0063 $\tan A = \sqrt{3}$ _____

📁 **다음을 만족시키는 x의 크기를 구하여라.**

0064 $\sin(x+20°) = \dfrac{\sqrt{3}}{2}$ (단, $0° < x+20° < 90°$)

sol $\sin \boxed{}° = \dfrac{\sqrt{3}}{2}$ 이므로

$x + 20° = \boxed{}°$ $\therefore x = \boxed{}°$

0065 $\tan(2x+10°) = \dfrac{\sqrt{3}}{3}$ (단, $0° < 2x+10° < 90°$)

_____

0066 $\cos(2x-15°) = \dfrac{\sqrt{2}}{2}$ (단, $0° < 2x-15° < 90°$)

_____

핵심

30°, 45°, 60°의 삼각비 중 어느 것을 이용할 수 있는지 생각해 봐.

(1)

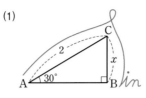

$\sin 30° = \dfrac{x}{2} = \dfrac{1}{2}$

➡ $x = 1$

(2)

$\sin 30° = \dfrac{x}{2} = \dfrac{1}{2}$ ➡ $x = 1$

$\sin 45° = \dfrac{1}{y} = \dfrac{\sqrt{2}}{2}$ ➡ $y = \sqrt{2}$

📁 다음 그림의 직각삼각형 ABC에서 x, y의 값을 각각 구하여라.

0067

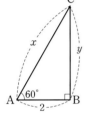

sol $\cos 60° = \dfrac{2}{x} = \boxed{}$

∴ $x = \boxed{}$

$\tan 60° = \dfrac{y}{2} = \boxed{}$

∴ $y = \boxed{}$

0068

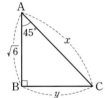

_____

0069

_____

0070

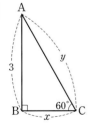

_____

📁 다음 그림의 △ABC에서 x, y의 값을 각각 구하여라.

0071

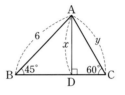

sol △ABD에서 $\sin 45° = \dfrac{x}{6} = \boxed{}$ ∴ $x = \boxed{}$

△ADC에서 $\sin 60° = \dfrac{x}{y} = \boxed{}$ ∴ $y = \boxed{}$

0072

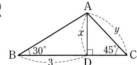

_____

0073

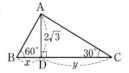

_____

0074 학교 시험 맛보기

오른쪽 그림의 △ABC에서 ∠B=45°, ∠C=30°, $\overline{AC}=4$이고 $\overline{AD}⊥\overline{BC}$이다. 이때 $\overline{BC}$의 길이를 구하여라.

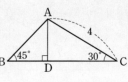

_____

1

삼각비

특수한 각의
삼각비를 이용하여
변의 길이를 구해!

(1)
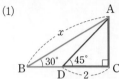

$$\tan 45° = \frac{\overline{AC}}{2} = 1 \implies \overline{AC} = 2$$

$$\sin 30° = \frac{\overline{AC}}{x} = \frac{2}{x} = \frac{1}{2} \implies x = 4$$

(2)
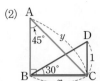

$$\tan 30° = \frac{1}{x} = \frac{\sqrt{3}}{3} \implies x = \sqrt{3}$$

$$\sin 45° = \frac{\sqrt{3}}{y} = \frac{\sqrt{2}}{2} \implies y = \sqrt{6}$$

📁 다음 그림의 △ABC에서 x의 값을 구하여라.

0075

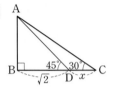

sol △ABD에서 $\tan 45° = \dfrac{\overline{AB}}{\sqrt{2}} = \boxed{}$　∴ $\overline{AB} = \boxed{}$

△ABC에서 $\tan 30° = \dfrac{\boxed{}}{\overline{BC}} = \boxed{}$　∴ $\overline{BC} = \boxed{}$

∴ $x = \overline{BC} - \overline{BD} = \boxed{}$

0076

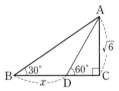

———————

0077

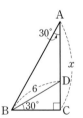

———————

0078

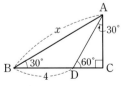

———————

📁 다음 그림에서 x, y의 값을 각각 구하여라.

0079

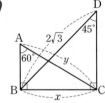

sol △BCD에서

$$\sin 45° = \frac{x}{2\sqrt{3}} = \boxed{}$$

∴ $x = \boxed{}$

△ABC에서

$$\sin 60° = \frac{x}{y} = \boxed{}$$

∴ $y = \boxed{}$

0080

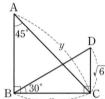

———————

0081

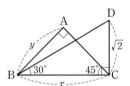

———————

0082 학교 시험 맛보기 ✏

오른쪽 그림과 같은
△ABC에서 ∠BDA=60°,
∠C=30°, $\overline{CD}=6$일 때,
△ABC의 넓이를 구하여라.

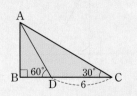

———————

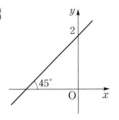

직선이 x축의
양의 방향과 이루는
예각의 크기를 봐 봐.

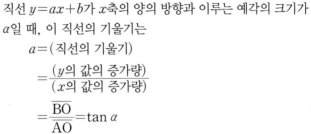

직선 $y=ax+b$가 x축의 양의 방향과 이루는 예각의 크기가
α일 때, 이 직선의 기울기는

$a=($ 직선의 기울기 $)$

$\quad=\dfrac{(y\text{의 값의 증가량})}{(x\text{의 값의 증가량})}$

$\quad=\dfrac{\overline{\mathrm{BO}}}{\overline{\mathrm{AO}}}=\tan\alpha$

📁 **다음 직선의 방정식을 구하여라.**

0083

sol (기울기)$=\tan 45°=$ ☐

(　y절편)$=$ ☐

∴ $y=$ ☐

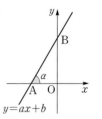

기울기와 y절편만
알면 돼!

0084

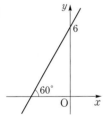

_____

0085

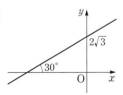

_____

📁 **다음 직선의 방정식을 구하여라.**

0086

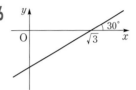

sol (기울기)$=\tan 30°=$ ☐

$y=$ ☐$x+b$에 $x=$ ☐, $y=0$을 대입하면 $b=$ ☐

∴ $y=$ ☐$x-$ ☐

0087

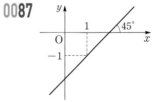

_____

0088

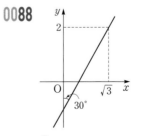

_____

x축의 양의 방향과 이루는
각의 크기는 60°야!

13 사분원에서 삼각비의 값

Subnote ● 07쪽

원을 사등분한 것 중
한 부분을 사분원이라고 해.

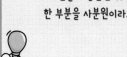

반지름의 길이가 1인 사분원에서 예각 x에 대하여

(1) $\sin x = \dfrac{\overline{AB}}{\overline{OA}} = \dfrac{\overline{AB}}{1} = \overline{AB}$

(2) $\cos x = \dfrac{\overline{OB}}{\overline{OA}} = \dfrac{\overline{OB}}{1} = \overline{OB}$

(3) $\tan x = \dfrac{\overline{CD}}{\overline{OD}} = \dfrac{\overline{CD}}{1} = \overline{CD}$

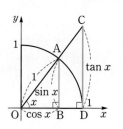

📁 오른쪽 그림과 같이 반지름의 길이가 1인 사분원에서 다음 삼각비의 값을 나타내는 선분을 구하여라.

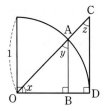

0089 $\sin x$

sol $\sin x = \dfrac{\boxed{}}{\overline{OA}} = \dfrac{\boxed{}}{1} = \boxed{}$

0090 $\cos x$　_____

0091 $\tan x$　_____

0092 $\sin y$　_____

0093 $\cos y$　_____

0094 $\sin z$　_____

key $\overline{AB} /\!/ \overline{CD}$이므로 $\angle z = \angle y$ (동위각)

0095 $\cos z$　_____

📁 오른쪽 그림과 같이 반지름의 길이가 1인 사분원에서 다음 삼각비의 값을 구하여라.

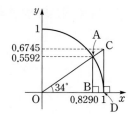

0096 $\sin 34°$

sol $\sin 34° = \dfrac{\boxed{}}{\overline{OA}} = \boxed{}$

0097 $\cos 34°$　_____

0098 $\tan 34°$　_____

0099 $\sin 56°$　_____

0100 $\cos 56°$　_____

0101 학교 시험 맛보기

오른쪽 그림과 같이 반지름의 길이가 1인 사분원에 대하여 $\tan 50° + \cos 40°$의 값을 구하여라.

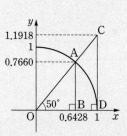

_____

14 0°, 90°의 삼각비의 값

Subnote ◎ 07쪽

직각삼각형으로는 0°, 90°의
삼각비의 값을 구할 수 없으므로
반지름의 길이가 1인 사분원을
이용하여 0°, 90°의
삼각비의 값을 생각해.

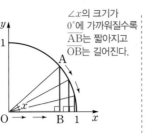

∠x의 크기가
0°에 가까워질수록
$\overline{AB}$는 짧아지고
$\overline{OB}$는 길어진다.

$\sin 0° = \dfrac{\overline{AB}}{\overline{OA}} = \dfrac{0}{1} = 0$

$\cos 0° = \dfrac{\overline{OB}}{\overline{OA}} = \dfrac{1}{1} = 1$

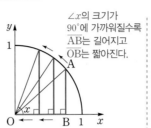

∠x의 크기가
90°에 가까워질수록
$\overline{AB}$는 길어지고
$\overline{OB}$는 짧아진다.

$\sin 90° = \dfrac{\overline{AB}}{\overline{OA}} = \dfrac{1}{1} = 1$

$\cos 90° = \dfrac{\overline{OB}}{\overline{OA}} = \dfrac{0}{1} = 0$

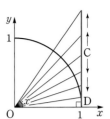

$\tan 0° = \dfrac{\overline{CD}}{\overline{OD}} = \dfrac{0}{1} = 0$

$\tan 90° = \dfrac{\overline{CD}}{\overline{OD}}$ $\overline{CD}$의 길이가
한없이 길어지므로
값을 알 수 없다.

📂 **다음 삼각비의 값을 구하여라.**

0102 $\sin 0°$ _____

0103 $\cos 0°$ _____

0104 $\tan 0°$ _____

0105 $\sin 90°$ _____

0106 $\cos 90°$ _____

0107 $\tan 90°$ _____

📂 **다음을 계산하여라.**

0108 $\sin 0° + \cos 0°$ _____

0109 $(\cos 90° + \tan 45°) \times \sin 30°$ _____

0110 $\sin 60° \times \cos 0° + \cos 30° \times \sin 90°$

_____

0111 $(\tan 0° + \sin 45°)(\cos 90° + \tan 30°)$

_____

0112 $\cos 0° \div \sin 45° + \cos 45° \times \sin 30°$

_____

15 삼각비의 값의 대소 관계

핵심

Subnote ◐ 08쪽

(1) $\overline{AB}<\overline{CD}$이므로

$\sin x<\tan x$

(2) $45°$를 기점으로

$\sin x$와 $\cos x$의

대소 관계가 달라져.

(1) $\angle x$의 크기가 $0°$에서 $90°$까지 증가할 때,

① $\sin x$의 값은 0에서 1로 증가한다.

② $\cos x$의 값은 1에서 0으로 감소한다.

③ $\tan x$의 값은 0에서 한없이 증가한다.

(2) $\sin x$, $\cos x$, $\tan x$의 대소 관계

① $0°\leq x<45°$일 때 ➡ $\sin x<\cos x$

② $x=45°$일 때 ➡ $\sin x=\cos x<\tan x$

③ $45°<x<90°$일 때 ➡ $\cos x<\sin x<\tan x$

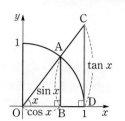

📂 다음 ○ 안에 $>$, $<$, $=$ 중 알맞은 것을 써넣어라.

0113 $\sin 10° \bigcirc \sin 20°$

 $0°<x<90°$에서
x의 크기가 증가하면
$\sin x$는 증가, $\cos x$는 감소
$\tan x$는 증가

0114 $\cos 25° \bigcirc \cos 50°$

0115 $\tan 15° \bigcirc \tan 70°$

0116 $\sin 35° \bigcirc \cos 35°$

$0°\leq x<45°$이면
$\sin x<\cos x$

0117 $\sin 50° \bigcirc \cos 50°$

0118 $\sin 45° \bigcirc \cos 70°$

sol $\sin 45° \bigcirc \cos 45° \bigcirc \cos 70°$

∴ $\sin 45° \bigcirc \cos 70°$

0119 $\cos 55° \bigcirc \tan 45°$

0120 $\cos 65° \bigcirc \tan 65°$

0121 $\sin 85° \bigcirc \tan 85°$

0122 학교 시험 맛보기

다음 삼각비의 값을 작은 것부터 차례로 나열하여라.

$\cos 40°$, $\sin 40°$, $\tan 70°$, $\cos 0°$

Subnote ⦿ 08쪽

16 삼각비의 표

핵심

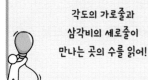

각도의 가로줄과
삼각비의 세로줄이
만나는 곳의 수를 읽어!

(1) **삼각비의 표** : 0°에서 90°까지의 각을 1° 간격으로 나누어 이들의 삼각비의 값을 소수점 아래 넷째 자리까지 나타낸 표

(2) **삼각비의 표 읽는 방법** : 삼각비의 표에서 각도의 가로줄과 sin, cos, tan 의 세로줄이 만나는 곳의 수를 읽는다.

📁 아래 삼각비의 표를 이용하여 다음 삼각비의 값을 구하여라.

각도	사인(sin)	코사인(cos)	탄젠트(tan)
31°	0.5150	0.8572	0.6009
32°	0.5299	0.8480	0.6249
33°	0.5446	0.8387	0.6494
34°	0.5592	0.8290	0.6745
35°	0.5736	0.8192	0.7002

0123 $\sin 32°$ _____

0124 $\cos 35°$ _____

0125 $\tan 31°$ _____

0126 $\sin 34°$ _____

0127 $\cos 33°$ _____

0128 $\tan 32°$ _____

📁 아래 삼각비의 표를 이용하여 다음 식을 만족시키는 $\angle x$의 크기를 구하여라.

각도	사인(sin)	코사인(cos)	탄젠트(tan)
61°	0.8746	0.4848	1.8040
62°	0.8829	0.4695	1.8807
63°	0.8910	0.4540	1.9626
64°	0.8988	0.4384	2.0503
65°	0.9063	0.4226	2.1445

0129 $\sin x = 0.8988$ _____

0130 $\cos x = 0.4695$ _____

0131 $\tan x = 1.8040$ _____

0132 $\sin x = 0.8910$ _____

0133 $\cos x = 0.4226$ _____

0134 $\tan x = 1.9626$ _____

1

삼각비

📁 아래 삼각비의 표를 이용하여 다음 직각삼각형 ABC에서 x의 값을 구하여라.

각도	사인(sin)	코사인(cos)	탄젠트(tan)
40°	0.6428	0.7660	0.8391
41°	0.6561	0.7547	0.8693
42°	0.6691	0.7431	0.9004
43°	0.6820	0.7314	0.9325
44°	0.6947	0.7193	0.9657

0135

sol $\cos 40° = \dfrac{x}{100} = \boxed{}$

∴ $x = \boxed{}$

0136

0137

0138

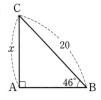

🔍 주어진 삼각비의 표를 이용하려면 ∠C의 크기를 구해야 해.

📁 아래 삼각비의 표를 이용하여 다음 직각삼각형 ABC에서 ∠x의 크기를 구하여라.

각도	사인(sin)	코사인(cos)	탄젠트(tan)
55°	0.8192	0.5736	1.4281
56°	0.8290	0.5592	1.4826
57°	0.8387	0.5446	1.5399
58°	0.8480	0.5299	1.6003
59°	0.8572	0.5150	1.6643

0139

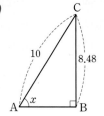

sol $\sin x = \dfrac{\boxed{}}{10} = \boxed{}$

∴ ∠$x = \boxed{}$°

0140

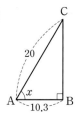

0141

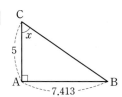

0142 학교 시험 맛보기

위의 삼각비의 표를 이용하여 오른쪽 직각삼각형 ABC에서 x의 값을 구하여라.

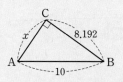

Mini Review Test

날짜 : ○ 월 ○ 일

Subnote ○ 09쪽

핵심 09

0143 $\cos(x-15°)=\dfrac{\sqrt{2}}{2}$일 때, $\sin x+\tan x$의 값을 구하여라. (단, $0°<x-15°<90°$)

핵심 10 11

0144 오른쪽 그림에서 $\overline{\text{AD}}=3$, $\angle\text{BAC}=\angle\text{ADC}=90°$, $\angle\text{ABC}=60°$, $\angle\text{ACD}=30°$일 때, □ABCD의 둘레의 길이를 구하여라.

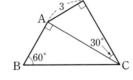

핵심 12

0145 오른쪽 그림과 같이 y절편이 3이고 x축의 양의 방향과 이루는 각의 크기가 $30°$인 직선의 방정식을 구하여라.

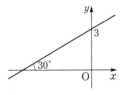

핵심 14

0146 $\sin 0°+\cos 30°\times\tan 45°-\cos 0°\div\tan 60°$를 계산하여라.

핵심 13

0147 오른쪽 그림과 같이 반지름의 길이가 1인 사분원에서 다음 중 옳지 않은 것은?

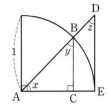

① $\sin x=\overline{\text{BC}}$

② $\tan x=\overline{\text{DE}}$

③ $\cos y=\overline{\text{BC}}$

④ $\sin z=\overline{\text{AC}}$

⑤ $\tan z=\overline{\text{DE}}$

핵심 15

0148 다음 중 옳은 것은?

① $\sin 32°>\sin 40°$ ② $\cos 15°<\cos 18°$

③ $\sin 40°>\cos 40°$ ④ $\tan 45°<\sin 70°$

⑤ $\sin 72°<\tan 72°$

핵심 17 서술형

0149 아래 주어진 삼각비의 표를 이용하여 오른쪽 그림과 같은 직각삼각형 ABC에서 $x+y$의 값을 구하여라.

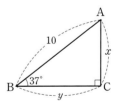

각도	사인(sin)	코사인(cos)	탄젠트(tan)
36°	0.5878	0.8090	0.7265
37°	0.6018	0.7986	0.7536
38°	0.6157	0.7880	0.7813

1

삼각비

Review

📶 99% 🔋 PM 3:11

◀ YOU♡

삼각비란?

직각삼각형에서 두 변의 길이의 비야.

$$\sin A = \frac{(높이)}{(빗변의 \ 길이)} = \frac{a}{b}$$

$$\cos A = \frac{(밑변의 \ 길이)}{(빗변의 \ 길이)} = (❶ \qquad)$$

$$\tan A = \frac{(높이)}{(밑변의 \ 길이)} = (❷ \qquad)$$

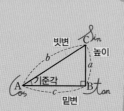

0°, 30°, 45°, 60°, 90°의 삼각비의 값은?

삼각비 　A	0°	30°	45°	60°	90°
$\sin A$	(❸　)	$\dfrac{1}{2}$	$\dfrac{\sqrt{2}}{2}$	$\dfrac{\sqrt{3}}{2}$	(❼　)
$\cos A$	1	(❹　)	$\dfrac{\sqrt{2}}{2}$	(❻　)	0
$\tan A$	0	$\dfrac{\sqrt{3}}{3}$	(❺　)	$\sqrt{3}$	정할 수 없다.

임의의 예각의 삼각비의 값은 어떻게 구할까?

반지름의 길이가 1인 사분원을 이용해.

$$\sin x = \overline{AB}$$
$$\cos x = \overline{OB}$$
$$\tan x = (❽ \qquad)$$

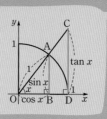

❶ $\dfrac{c}{b}$　❷ $\dfrac{a}{c}$　❸ 0　❹ $\dfrac{\sqrt{3}}{2}$　❺ 1　❻ $\dfrac{1}{2}$　❼ 1　❽ $\overline{CD}$

2 | 삼각비의 활용

스스로
공부 계획
세우기

2.
삼각비의 활용

삼각비의 활용

1 직각삼각형의 변의 길이 핵심 01

∠B=90°인 직각삼각형 ABC에서

(1) ∠A의 크기와 빗변의 길이 b를 알 때	(2) ∠A의 크기와 밑변의 길이 c를 알 때	(3) ∠A의 크기와 높이 a를 알 때
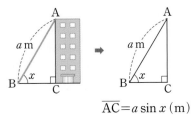		
$\sin A=\dfrac{a}{b} \Rightarrow a=b\sin A$ $\cos A=\dfrac{c}{b} \Rightarrow c=b\cos A$	$\tan A=\dfrac{a}{c} \Rightarrow a=c\tan A$ $\cos A=\dfrac{c}{b} \Rightarrow b=\dfrac{c}{\cos A}$	$\sin A=\dfrac{a}{b} \Rightarrow b=\dfrac{a}{\sin A}$ $\tan A=\dfrac{a}{c} \Rightarrow c=\dfrac{a}{\tan A}$

직각삼각형에서 한 변의 길이와 한 예각의 크기를 알면 삼각비를 이용하여 나머지 두 변의 길이를 구할 수 있다.
빗변의 길이가 주어지면
➡ sin 또는 cos 이용
밑변의 길이가 주어지면
➡ cos 또는 tan 이용
높이가 주어지면
➡ sin 또는 tan 이용

2 실생활에서 직각삼각형의 변의 길이의 활용 핵심 02 03

❶ 주어진 그림에서 직각삼각형을 찾는다.
❷ 삼각비를 이용하여 필요한 변의 길이를 구한다.

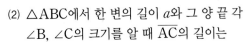

$$\overline{AC}=a\sin x \,(m)$$

삼각비를 이용하면 직접 측정하기 어려운 거리, 사물의 높이 등 실생활과 관련된 여러 가지 문제를 해결할 수 있다.

3 일반 삼각형의 변의 길이 핵심 04 05 08

(1) △ABC에서 두 변의 길이 a, c와 그 끼인각 ∠B의 크기를 알 때, $\overline{AC}$의 길이는

$$\Rightarrow \overline{AC}=\sqrt{\overline{AH}^2+\overline{CH}^2}$$
$$=\sqrt{(c\sin B)^2+(a-c\cos B)^2}$$

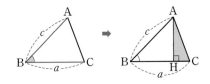

(2) △ABC에서 한 변의 길이 a와 그 양 끝 각 ∠B, ∠C의 크기를 알 때 $\overline{AC}$의 길이는

$$\Rightarrow \overline{AC}=\dfrac{\overline{CH}}{\sin A}=\dfrac{a\sin B}{\sin A}$$

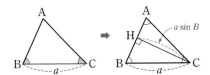

삼각비는 직각삼각형에서만 적용되므로 일반 삼각형에서는 한 꼭짓점에서 그 대변에 수선을 그어 직각삼각형을 만들어야 한다.

4 일반 삼각형의 높이 핵심 06 07 08

△ABC에서 한 변의 길이가 a와 그 양 끝 각 ∠B, ∠C의 크기를 알 때, 높이 h는

(1) 양 끝 각이 모두 예각일 때

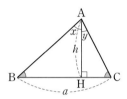

$\overline{BC}=\overline{BH}+\overline{CH}$이므로

$a=h\tan x+h\tan y$

$\quad =h(\tan x+\tan y)$

$\therefore h=\dfrac{a}{\tan x+\tan y}$

(2) 양 끝 각 중 하나가 둔각일 때

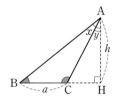

$\overline{BC}=\overline{BH}-\overline{CH}$이므로

$a=h\tan x-h\tan y$

$\quad =h(\tan x-\tan y)$

$\therefore h=\dfrac{a}{\tan x-\tan y}$

개념 NOTE

공식을 외우기보다는 수선을 이용하여 직각삼각형을 만든 후 삼각비를 이용한다.

5 삼각형의 넓이 핵심 09 10

△ABC에서 두 변의 길이가 a, c와 그 끼인각 ∠B의 크기를 알 때, 넓이 S는

(1) ∠B가 예각일 때

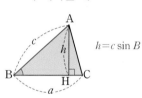

$h=c\sin B$

➡ $S=\dfrac{1}{2}ac\sin B$

(2) ∠B가 둔각일 때

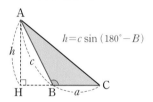

$h=c\sin(180°-B)$

➡ $S=\dfrac{1}{2}ac\sin(180°-B)$

△ABC에서 ∠B=90°이면 넓이 S는

$S=\dfrac{1}{2}ac\sin 90°=\dfrac{1}{2}ac$

6 사각형의 넓이 핵심 11 12 13

(1) **평행사변형의 넓이**

평행사변형 ABCD의 이웃하는 두 변의 길이가 a, b이고 그 끼인 각 ∠x가 예각일 때, 넓이 S는

$\quad S=ab\sin x$

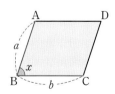

(2) **사각형의 넓이**

□ABCD의 두 대각선의 길이가 a, b이고 두 대각선이 이루는 각 ∠x가 예각일 때, 넓이 S는

$\quad S=\dfrac{1}{2}ab\sin x$

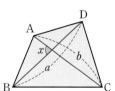

∠x가 둔각이면

$S=ab\sin(180°-x)$

∠x가 둔각이면

$S=\dfrac{1}{2}ab\sin(180°-x)$

삼각비를 이용하여 다른 변의 길이를 구할 수 있어.

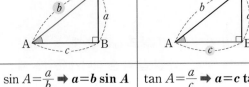

$\sin A=\dfrac{a}{b} \Rightarrow a=b \sin A$	$\tan A=\dfrac{a}{c} \Rightarrow a=c \tan A$	$\sin A=\dfrac{a}{b} \Rightarrow b=\dfrac{a}{\sin A}$
$\cos A=\dfrac{c}{b} \Rightarrow c=b \cos A$	$\cos A=\dfrac{c}{b} \Rightarrow b=\dfrac{c}{\cos A}$	$\tan A=\dfrac{a}{c} \Rightarrow c=\dfrac{a}{\tan A}$

📁 다음 그림의 직각삼각형 ABC에서 x의 값을 주어진 예각의 삼각비를 이용하여 나타내어라.

0150

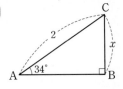

∠A의 크기와 빗변의 길이를 알고 높이를 구해야 하므로 sin을 이용해.

sol $\sin 34° = \boxed{}$ 이므로 $x = \boxed{}$

0151

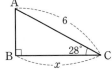

_____

0152

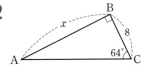

_____

📁 다음 그림의 직각삼각형 ABC에서 주어진 삼각비의 값을 이용하여 x, y의 값을 각각 구하여라.

0153

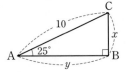

$\sin 25° = 0.42$
$\cos 25° = 0.91$

sol $x = 10 \sin 25° = 10 \times \boxed{} = \boxed{}$
$y = 10 \cos 25° = 10 \times \boxed{} = \boxed{}$

0154

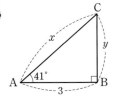

$\cos 41° = 0.75$
$\tan 41° = 0.87$

_____

0155 학교 시험 맛보기

오른쪽 그림의 직각삼각형 ABC에서 ∠C=56°, $\overline{CA}=5$일 때, $x-y$의 값을 구하여라.
(단, $\sin 56° = 0.83$,
$\cos 56° = 0.56$으로 계산한다.)

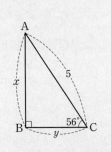

_____

건물의 높이를
구하기 위해 사용할
삼각비를 생각해 봐.

(1)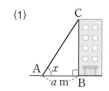

$$\overline{BC}=a \tan x \,(m)$$

(2)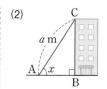

$$\overline{BC}=a \sin x \,(m)$$

(3)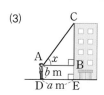

$$\overline{CE}=\overline{BE}+\overline{BC}$$
$$=b+a \tan x \,(m)$$

📁 **주어진 삼각비의 값을 이용하여 다음을 구하여라.**

0156 건물의 높이 $\overline{BC}$

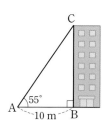

$$\sin 55°=0.82$$
$$\cos 55°=0.57$$
$$\tan 55°=1.43$$

——————

0157 나무의 높이 $\overline{BC}$

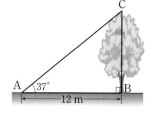

$$\sin 37°=0.60$$
$$\cos 37°=0.80$$
$$\tan 37°=0.75$$

——————

0158 두 지점 A, B 사이의 거리

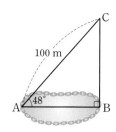

$$\sin 48°=0.74$$
$$\cos 48°=0.67$$
$$\tan 48°=1.11$$

——————

0159 건물의 높이 $\overline{CE}$

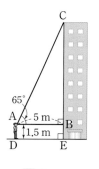

$$\sin 65°=0.91$$
$$\cos 65°=0.42$$
$$\tan 65°=2.14$$

(1) $\overline{BE}$의 길이

sol $\overline{BE}=\overline{AD}=\boxed{}$ (m)

(2) $\overline{BC}$의 길이

sol $\overline{BC}=5 \times \boxed{}=5 \times \boxed{}=\boxed{}$ (m)

(3) $\overline{CE}$의 길이

sol $\overline{CE}=\overline{BE}+\overline{BC}=\boxed{}+\boxed{}=\boxed{}$ (m)

0160 학교 시험 맛보기 ✏️

오른쪽 그림과 같이 나무에서
10 m 떨어진 지점에서 나무를
올려다본 각의 크기가 57°이
었다. 사람의 눈높이가 1.6 m
일 때, 나무의 높이 $\overline{CH}$를 구
하여라. (단, $\sin 57°=0.84$,
$\cos 57°=0.54$, $\tan 57°=1.54$로 계산한다.)

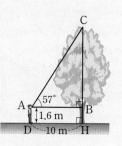

——————

핵심

날짜 : ● 월 ● 일

Subnote ○ 10쪽

주어진 길이와
삼각비의 값을 이용하여
필요한 변의 길이를 구해!

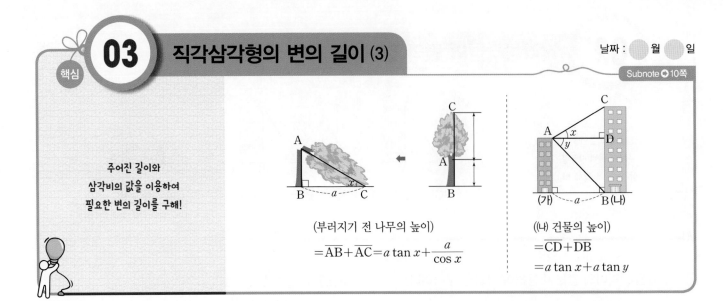

(부러지기 전 나무의 높이)

$$=\overline{AB}+\overline{AC}=a\tan x+\frac{a}{\cos x}$$

((나) 건물의 높이)

$$=\overline{CD}+\overline{DB}$$

$$=a\tan x+a\tan y$$

📂 지면에 수직으로 서 있던 나무가 다음 그림과 같이 부러졌다. 주어진 삼각비의 값을 이용하여 부러지기 전의 나무의 높이를 구하여라.

0161

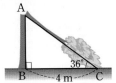

| $\sin 36° = 0.59$ |
| $\cos 36° = 0.80$ |
| $\tan 36° = 0.73$ |

sol $\overline{AB}=4\tan 36°=4\times\boxed{}=\boxed{}$ (m)

$\overline{AC}=\dfrac{4}{\cos 36°}=\dfrac{4}{\boxed{}}=\boxed{}$ (m)

따라서 부러지기 전의 나무의 높이는

$\overline{AB}+\overline{AC}=\boxed{}+\boxed{}=\boxed{}$ (m)

0162

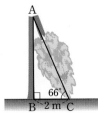

| $\sin 66° = 0.90$ |
| $\cos 66° = 0.40$ |
| $\tan 66° = 2.25$ |

0163

| $\sin 32° = 0.53$ |
| $\cos 32° = 0.85$ |
| $\tan 32° = 0.62$ |

📂 다음 그림과 같이 (가) 건물 꼭대기에서 (나) 건물을 보았을 때, (나) 건물의 높이를 구하여라.

0164

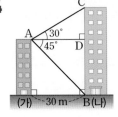

sol $\overline{CD}=30\tan 30°=30\times\boxed{}$

$\phantom{\overline{CD}}=\boxed{}$ (m)

$\overline{BD}=30\tan 45°$

$\phantom{\overline{BD}}=30\times\boxed{}=\boxed{}$ (m)

따라서 (나) 건물의 높이는

$\overline{CD}+\overline{BD}=\boxed{}$ (m)

0165

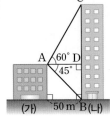

0166 학교 시험 맛보기

오른쪽 그림과 같이 송신탑으로부터 150 m 떨어진 건물 꼭대기에서 송신탑의 꼭대기를 올려다본 각의 크기가 45°, 송신탑의 아래의 끝을 내려다본 각의 크기가 30°일 때, 송신탑의 높이 $\overline{BC}$를 구하여라.

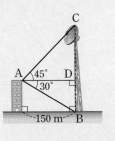

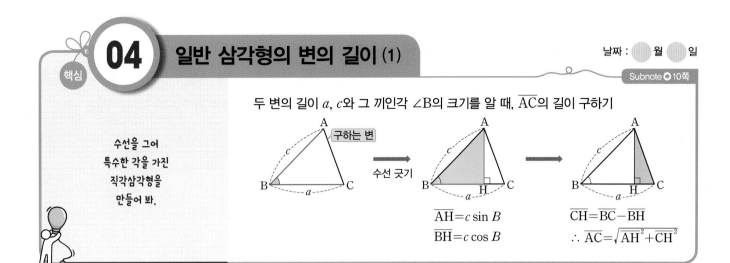

수선을 그어 특수한 각을 가진 직각삼각형을 만들어 봐.

두 변의 길이 a, c와 그 끼인각 $\angle B$의 크기를 알 때, $\overline{AC}$의 길이 구하기

구하는 변

수선 긋기

$\overline{AH} = c\sin B$
$\overline{BH} = c\cos B$

$\overline{CH} = \overline{BC} - \overline{BH}$
$\therefore \overline{AC} = \sqrt{\overline{AH}^2 + \overline{CH}^2}$

📁 아래 그림과 같은 △ABC에서 다음을 구하여라.

0167

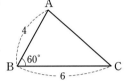 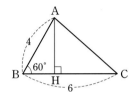

(1) $\overline{AH}$의 길이

sol △ABH에서 $\overline{AH} = 4\boxed{}\,60° = 4 \times \boxed{} = \boxed{}$

(2) $\overline{BH}$의 길이

sol △ABH에서 $\overline{BH} = 4\boxed{}\,60° = 4 \times \boxed{} = \boxed{}$

(3) $\overline{CH}$의 길이

sol $\overline{CH} = \overline{BC} - \overline{BH} = 6 - \boxed{} = \boxed{}$

(4) $\overline{AC}$의 길이

sol △AHC에서 $\overline{AC} = \sqrt{(\boxed{})^2 + \boxed{}^2} = \boxed{}$

0168

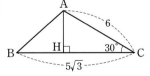

(1) $\overline{AH}$의 길이 _____

(2) $\overline{CH}$의 길이 _____

(3) $\overline{BH}$의 길이 _____

(4) $\overline{AB}$의 길이 _____

📁 다음 그림과 같은 △ABC에서 x의 값을 구하여라.

0169

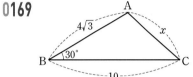

_____

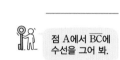 점 A에서 $\overline{BC}$에 수선을 그어 봐.

0170

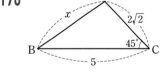

_____

0171 학교 시험 맛보기

오른쪽 그림과 같은 △ABC에서 $\overline{AB} = 8$, $\overline{AC} = 10$, $\angle A = 60°$일 때, $\overline{BC}$의 길이를 구하여라.

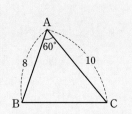

_____

2

응용

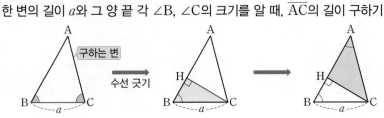

특수한 각의 삼각비의
값을 이용할 수 있도록
보조선을 그어야 해!

한 변의 길이 a와 그 양 끝 각 $\angle B$, $\angle C$의 크기를 알 때, $\overline{AC}$의 길이 구하기

구하는 변

수선 긋기

$\angle A = 180° - (\angle B + \angle C)$

$\overline{CH} = a \sin B$

$\overline{AC} = \dfrac{\overline{CH}}{\sin A} = \dfrac{a \sin B}{\sin A}$

📁 아래 그림과 같은 △ABC에서 다음을 구하여라.

0172

 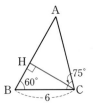

(1) $\overline{CH}$의 길이

sol △HBC에서 $\overline{CH} = 6 \sin \boxed{}° = 6 \times \boxed{} = \boxed{}$

(2) $\angle A$의 크기

sol $\angle A = 180° - (60° + \boxed{}°) = \boxed{}°$

(3) $\overline{AC}$의 길이

sol △AHC에서 $\overline{AC} = \dfrac{\overline{CH}}{\sin \boxed{}°} = \boxed{}$

0173

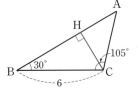

(1) $\overline{CH}$의 길이 _____

(2) $\angle A$의 크기 _____

(3) $\overline{AC}$의 길이 _____

📁 다음 그림과 같은 △ABC에서 x의 값을 구하여라.

0174

 점 C에서 $\overline{AB}$에 수선을 내려 $\angle A$, $\angle B$의 삼각비를 이용해.

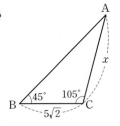

_____

0175

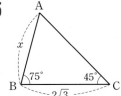

_____

0176 학교 시험 맛보기 ✏️

오른쪽 그림과 같이
$\angle A = 105°$, $\angle B = 30°$,
$\overline{AB} = 12$인 △ABC에서
$\overline{AC}$의 길이를 구하여라.

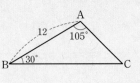

_____

양 끝 각이 모두 예각일 때, 삼각형의 높이 h 구하기

$\overline{BC}=\overline{BH}+\overline{CH}$를
높이 h와 tan로
나타내 봐.

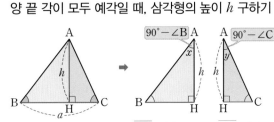

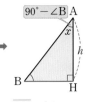

$\overline{BH}=h\tan x$

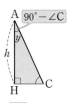

$\overline{CH}=h\tan y$

$\overline{BC}=\overline{BH}+\overline{CH}$이므로
$a=h\tan x+h\tan y$
$=h(\tan x+\tan y)$
$\therefore h=\dfrac{a}{\tan x+\tan y}$

📂 오른쪽 그림과 같은 △ABC에 대하여 다음 물음에 답하여라.

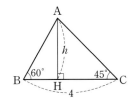

0177 $\overline{BH}$의 길이를 높이 h에 대한 식으로 나타내어라.

sol △ABH에서 $\angle BAH=90°-\boxed{\ }°=\boxed{\ }°$
$\therefore \overline{BH}=h\tan\boxed{\ }°=h\times\boxed{\ }=\boxed{\ }$

0178 $\overline{CH}$의 길이를 높이 h에 대한 식으로 나타내어라.

sol △AHC에서 $\angle CAH=90°-\boxed{\ }°=\boxed{\ }°$
$\therefore \overline{CH}=h\tan\boxed{\ }°=h\times\boxed{\ }=\boxed{\ }$

0179 h의 값을 구하여라.

sol $\overline{BC}=\overline{BH}+\overline{CH}$이므로
$4=\boxed{\ }+\boxed{\ }=\dfrac{\boxed{\ }}{3}h$
$\therefore h=4\times\dfrac{3}{\boxed{\ }}=\boxed{\ }$

📂 다음 그림과 같은 △ABC에서 h의 값을 구하여라.

0180

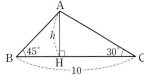

_____

0181

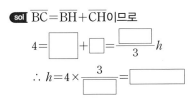

_____

0182 학교 시험 맛보기

오른쪽 그림에서 $\angle B=45°$, $\angle C=60°$, $\overline{BC}=8$이다. 꼭짓점 A에서 $\overline{BC}$에 내린 수선의 발을 H라고 할 때, $\overline{AH}$의 길이를 구하여라.

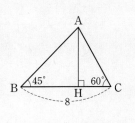

_____

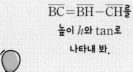

$\overline{BC}=\overline{BH}-\overline{CH}$를
높이 h와 tan로
나타내 봐.

양 끝 각 중 하나가 둔각일 때, 삼각형의 높이 h 구하기

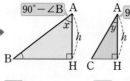

$\overline{BH}=h\tan x$ $\overline{CH}=h\tan y$

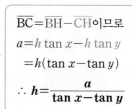

$\overline{BC}=\overline{BH}-\overline{CH}$이므로

$a=h\tan x-h\tan y$

$=h(\tan x-\tan y)$

$\therefore h=\dfrac{a}{\tan x-\tan y}$

📁 오른쪽 그림과 같은 △ABC의 꼭짓점 A에서 $\overline{BC}$의 연장선에 내린 수선의 발을 H라 할 때, 다음 물음에 답하여라.

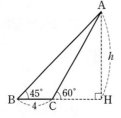

0183 $\overline{BH}$의 길이를 높이 h에 대한 식으로 나타내어라.

> **sol** △ABH에서 ∠BAH=$90°-\boxed{}°=\boxed{}°$
>
> $\therefore \overline{BH}=h\tan\boxed{}°=\boxed{}$

0184 $\overline{CH}$의 길이를 높이 h에 대한 식으로 나타내어라.

> **sol** △ACH에서 ∠CAH=$90°-\boxed{}°=\boxed{}°$
>
> $\therefore \overline{CH}=h\tan\boxed{}°=\boxed{}$

0185 h의 값을 구하여라.

> **sol** $\overline{BC}=\overline{BH}-\overline{CH}$이므로
>
> $4=\boxed{}-\boxed{}=\boxed{}\,h$
>
> $\therefore h=4\times\dfrac{3}{\boxed{}}=\boxed{}$

📁 다음 그림과 같은 △ABC에서 h의 값을 구하여라.

0186

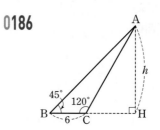

_____

0187

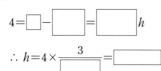

_____

0188 학교 시험 맛보기 ✏️

오른쪽 그림과 같은 △ABC 에서 $\overline{BC}=18$, ∠B=$30°$, ∠C=$135°$일 때, $\overline{AH}$의 길 이를 구하여라.

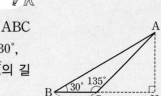

_____

📁 **다음 물음에 답하여라.**

0189 다음 그림은 호수의 두 지점 A와 B 사이의 거리를 구하기 위하여 C 지점에서 각의 크기와 거리를 측정하여 나타낸 것이다. $\overline{BC}=40$ m, $\overline{AC}=20$ m, ∠C$=120°$일 때, 두 지점 A, B 사이의 거리를 구하여라.

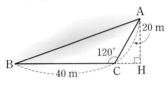

0190 오른쪽 그림과 같이 소방서로부터 6 m 떨어진 지점에서 국기 게양대의 양 끝을 올려다본 각의 크기가 각각 45°, 60°일 때, 국기 게양대의 높이 $\overline{BC}$의 길이를 구하여라.

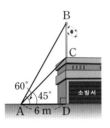

0191 오른쪽 그림은 연못의 양 끝점 A와 C 사이의 거리를 구하기 위해 측량하여 그린 것이다. 이때 두 지점 A, C 사이의 거리를 구하여라.

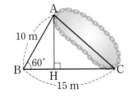

0192 다음 그림과 같이 배 A와 배 B는 6 km 떨어져 있고, 배 B와 섬 C는 $7\sqrt{2}$ km 떨어져 있다. ∠B$=45°$일 때, 배 A와 섬 C 사이의 거리를 구하여라.

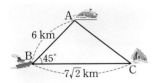

0193 오른쪽 그림과 같이 강의 양쪽에 위치한 두 지점 A, C 사이의 거리를 구하기 위하여 $\overline{BC}=20$ m가 되도록 B 지점을 잡았다. ∠B$=45°$, ∠C$=105°$일 때, 두 지점 A, C 사이의 거리를 구하여라.

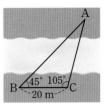

0194 오른쪽 그림과 같이 120 m 떨어진 두 지점 B, C에서 A 지점에 있는 열기구를 올려다본 각의 크기가 각각 60°, 45°일 때, 지면으로부터 열기구까지의 높이를 구하여라.

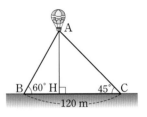

0195 다음 그림과 같이 30 m 떨어진 두 지점 B, C에서 나무의 꼭대기 A 지점을 올려다본 각의 크기가 각각 45°, 30°일 때, 나무의 높이를 구하여라.

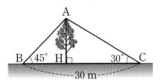

0196 다음 그림과 같이 10 m 떨어져 있는 두 지점 B, C에서 나무의 꼭대기 A 지점을 올려다본 각의 크기가 각각 30°, 45°일 때, 나무의 높이를 구하여라.

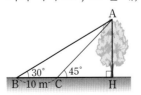

Mini Review Test

핵심 01

0197 오른쪽 그림과 같이 직각 삼각형 ABC에서 $\overline{BC}=10$ cm, $\angle B=35°$ 일 때, $x-y$의 값을 구하여라.

(단, $\sin 35°=0.57$, $\cos 35°=0.82$로 계산한다.)

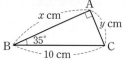

핵심 02

0198 오른쪽 그림과 같이 서현이가 어느 건물로부터 100 m 떨어진 B 지점에 서 건물의 꼭대기 P 지 점을 올려다본 각의 크기가 24°이었다. 서현이의 눈 높이가 1.5 m일 때, 건물의 높이를 구하여라.

(단, $\sin 24°=0.41$, $\cos 24°=0.91$, $\tan 24°=0.45$ 로 계산한다.)

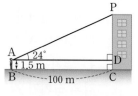

핵심 03

0199 오른쪽 그림과 같이 지면에 수직으로 서 있던 나무가 부 러져서 지면과 30°의 각을 이루게 되었다. 이때 부러지 기 전의 나무의 높이를 구하여라.

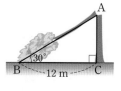

핵심 03

0200 오른쪽 그림과 같이 80 m 떨어져 있는 두 지점 B, C 에서 건물의 꼭대기 A 지 점을 올려다본 각의 크기 가 각각 30°, 60°일 때, 이 건물의 높이를 구하여라.

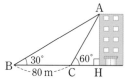

핵심 04

0201 오른쪽 그림과 같이 △ABC 에서 $\overline{AB}=4\sqrt{2}$, $\overline{BC}=6$, $\angle B=45°$일 때, $\overline{AC}$의 길이를 구하여라.

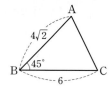

핵심 05

0202 오른쪽 그림과 같이 △ABC에 서 $\angle B=60°$, $\angle C=75°$, $\overline{BC}=8\sqrt{3}$일 때, $\overline{AC}$의 길이를 구하여라.

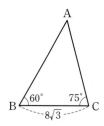

핵심 06

0203 오른쪽 그림과 같은 △ABC에서 $\overline{BC}=20$, $\angle B=60°$, $\angle C=30°$일 때, $\overline{AH}$의 길이를 구하 여라.

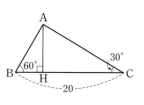

핵심 08 서술형

0204 오른쪽 그림과 같이 세 지점 A, B, C를 각각 직선으로 연 결하는 도로를 건설하려고 한 다. $\overline{AB}=4$ km, $\angle B=105°$, $\angle C=45°$일 때, 두 지점 B와 C를 연결하는 도로의 길이를 구하여라.

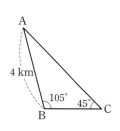

09 삼각형의 넓이 (1)

핵심

Subnote ◯14쪽

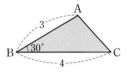

삼각형에서 두 변의 길이와 그 끼인각의 크기를 알면 삼각비를 이용하여 넓이를 구할 수 있어.

∠B가 예각인 △ABC의 넓이

직각삼각형 ABH에서

(높이) ➡ $h = c \sin B$

(넓이) ➡ $\triangle ABC = \dfrac{1}{2}ah = \dfrac{1}{2}ac \sin B$

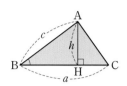

📁 다음 그림과 같은 △ABC의 넓이를 구하여라.

0205

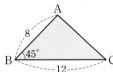

sol $\triangle ABC = \dfrac{1}{2} \times 4 \times \boxed{} \times \sin 30°$

$= \dfrac{1}{2} \times 4 \times \boxed{} \times \boxed{} = \boxed{}$

0206

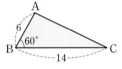

0207

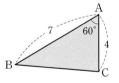

0208

0209

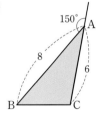

0210

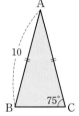

삼각형에서 두 각의 크기를 알면 나머지 한 각의 크기도 알 수 있어~

0211

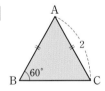

0212 학교 시험 맛보기

오른쪽 그림과 같은 △ABC의 넓이를 구하여라.

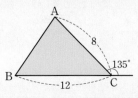

2

삼각비의 활용

∠B가 둔각인 △ABC의 넓이
직각삼각형 AHB에서 ∠ABH=180°−B이므로

(높이) ➡ $h=c \sin(180°-B)$

(넓이) ➡ $\triangle ABC=\dfrac{1}{2}ah=\dfrac{1}{2}ac \sin(180°-B)$

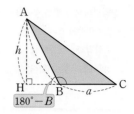

둔각과 이웃한
예각의 크기를 이용해서
높이를 구하는 거야!

📂 **다음 그림과 같은 △ABC의 넓이를 구하여라.**

0213

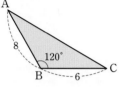

sol $\triangle ABC=\dfrac{1}{2} \times \boxed{} \times 6 \times \sin(180°-\boxed{}°)$

$=\dfrac{1}{2} \times \boxed{} \times 6 \times \boxed{}$

$=\boxed{}$

0214

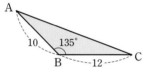

_____

0215

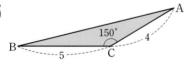

_____

0216

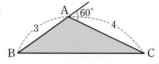

_____

0217

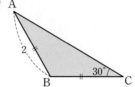

_____

0218

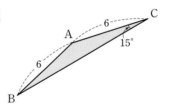

_____

0219 학교 시험 맛보기

오른쪽 그림과 같은 △ABC
의 넓이가 $5\sqrt{2}$ cm²일 때,
x의 값을 구하여라.

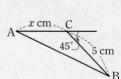

_____

11 사각형의 넓이 (1)

핵심

두 변의 길이와
그 끼인각의 크기가
주어진 삼각형 2개로
나누어 생각해 봐.

(사각형의 넓이)=(두 삼각형의 넓이의 합)

$$\square ABCD = \triangle ABD + \triangle BCD$$

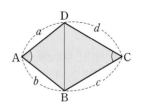

📂 **다음 그림과 같은 □ABCD의 넓이를 구하여라.**

0220

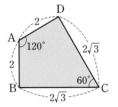 ➡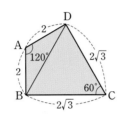

sol 대각선 BD를 그으면

$$\square ABCD = \triangle ABD + \triangle BCD$$
$$= \frac{1}{2} \times 2 \times \square \times \sin(180° - \square°)$$
$$+ \frac{1}{2} \times 2\sqrt{3} \times \square \times \sin\square°$$
$$= \square + \square = \square$$

0221

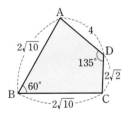

0222

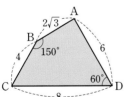

0223

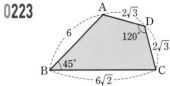

0224

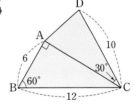

 △ABC에서 $\overline{AC}$의 길이를 구해 봐.

0225 학교 시험 맛보기 ✏️

오른쪽 그림과 같이
$\overline{AB}=9$, $\overline{CD}=8$, $\overline{DA}=12$,
∠CDB=30°인 □ABCD의
넓이를 구하여라.

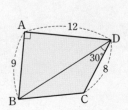

2
삼각비의 활용

핵심

Subnote ⊕ 15쪽

평행사변형은 대각선에 의해
합동인 2개의
삼각형으로 나누어지므로
평행사변형의 넓이는
삼각형의 넓이의 2배야.

이웃하는 두 변의 길이가 a, b이고 그 끼인각의 크기가 $\angle x$인 평행사변형의 넓이

(1) $\angle x$가 예각인 경우

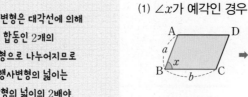

$$\square ABCD = 2 \times \triangle ABC = 2 \times \left(\frac{1}{2}ab\sin x \right)$$
$$= ab\sin x$$

(2) $\angle x$가 둔각인 경우

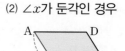

$$\square ABCD = ab\sin(180° - x)$$

📁 다음 그림과 같은 평행사변형 ABCD의 넓이를 구하여라.

0226

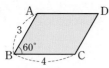

sol $\square ABCD = 3 \times \boxed{} \times \sin\boxed{}°$

$= 3 \times \boxed{} \times \boxed{} = \boxed{}$

0227

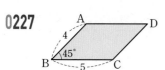

_____

0228

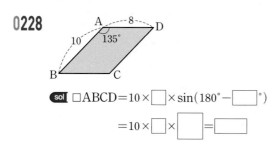

sol $\square ABCD = 10 \times \boxed{} \times \sin(180° - \boxed{}°)$

$= 10 \times \boxed{} \times \boxed{} = \boxed{}$

0229

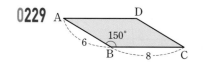

_____

📂 다음 그림과 같은 마름모 ABCD의 넓이를 구하여라.

0230

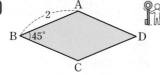

마름모는 네 변의 길이가
모두 같은 평행사변형이야.

sol $\overline{BC} = \overline{AB} = \boxed{}$이므로

$\square ABCD = 2 \times \boxed{} \times \sin\boxed{}° = \boxed{}$

0231

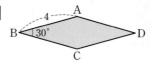

_____

0232

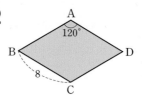

_____

0233 학교 시험 맛보기 ✏

오른쪽 그림과 같은
마름모 ABCD의 넓이가
$18\sqrt{2}\ cm^2$일 때, x의 값
을 구하여라.

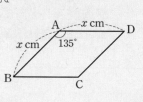

_____

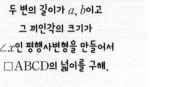

두 대각선의 길이가 a, b이고 그 끼인각의 크기가 $\angle x$인 사각형의 넓이

두 변의 길이가 a, b이고 그 끼인각의 크기가 $\angle x$인 평행사변형을 만들어서 □ABCD의 넓이를 구해.

(1) $\angle x$가 예각인 경우

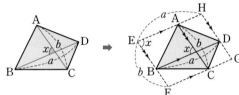

$$\Box ABCD = \frac{1}{2}\Box EFGH = \frac{1}{2}ab \sin x$$

(2) $\angle x$가 둔각인 경우

$$\Box ABCD = \frac{1}{2}ab \sin(180° - x)$$

📁 다음 그림과 같은 사각형 ABCD의 넓이를 구하여라.

0234

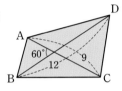

sol $\Box ABCD = \dfrac{1}{2} \times 9 \times \boxed{} \times \sin \boxed{}°$

$\qquad = \dfrac{1}{2} \times 9 \times \boxed{} \times \boxed{} = \boxed{}$

0235

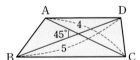

_____

0236

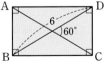

직사각형의 두 대각선은 길이가 서로 같아.

sol □ABCD는 직사각형이므로 $\overline{AC} = \overline{BD} = \boxed{}$

∴ $\Box ABCD = \dfrac{1}{2} \times \boxed{} \times 6 \times \sin \boxed{}° = \boxed{}$

0237

_____

0238

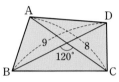

_____

0239

등변사다리꼴의 두 대각선은 길이가 서로 같아.

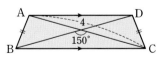

_____

Mini Review Test

핵심 09

0240 오른쪽 그림과 같은
△ABC의 넓이는?

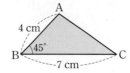

① $7\,\text{cm}^2$ ② $7\sqrt{2}\,\text{cm}^2$ ③ $8\sqrt{2}\,\text{cm}^2$

④ $7\sqrt{3}\,\text{cm}^2$ ⑤ $8\sqrt{3}\,\text{cm}^2$

핵심 09

0241 오른쪽 그림과 같은 △ABC
의 넓이가 $30\sqrt{3}\,\text{cm}^2$일 때, x
의 값을 구하여라.

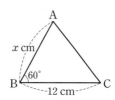

핵심 10

0242 오른쪽 그림과 같이
$\overline{\text{BC}}=\overline{\text{CA}}=8\,\text{cm}$,
∠A=30°인 △ABC의 넓
이를 구하여라.

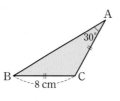

핵심 11

0243 오른쪽 그림과 같은
□ABCD의 넓이를 구하
여라.

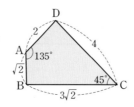

핵심 12

0244 오른쪽 그림과 같이
$\overline{\text{AD}}=8$이고 ∠A=120°
인 평행사변형 ABCD의
넓이가 $36\sqrt{3}$일 때, x의
값을 구하여라.

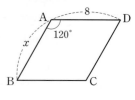

핵심 13

0245 오른쪽 그림과 같은
□ABCD의 넓이를 구하
여라.

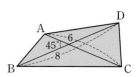

핵심 13 서술형

0246 오른쪽 그림과 같이
$\overline{\text{AD}}\,/\!/\,\overline{\text{BC}}$인 등변사다리꼴
에서 $\overline{\text{BD}}=10\,\text{cm}$,
∠OBC=30°일 때, □ABCD의 넓이를 구하여라.

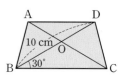

Review

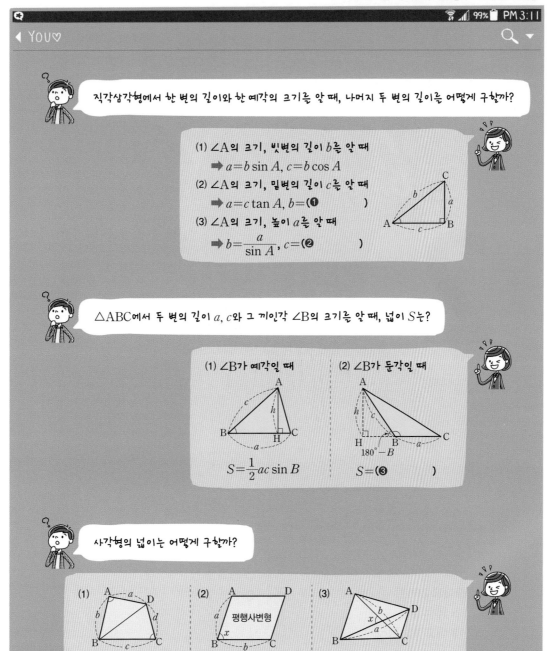

직각삼각형에서 한 변의 길이와 한 예각의 크기를 알 때, 나머지 두 변의 길이를 어떻게 구할까?

(1) $\angle A$의 크기, 빗변의 길이 b를 알 때
→ $a = b \sin A$, $c = b \cos A$

(2) $\angle A$의 크기, 밑변의 길이 c를 알 때
→ $a = c \tan A$, $b = (\boldsymbol{①}\qquad)$

(3) $\angle A$의 크기, 높이 a를 알 때
→ $b = \dfrac{a}{\sin A}$, $c = (\boldsymbol{②}\qquad)$

$\triangle ABC$에서 두 변의 길이 a, c와 그 끼인각 $\angle B$의 크기를 알 때, 넓이 S는?

(1) $\angle B$가 예각일 때

$$S = \frac{1}{2} ac \sin B$$

(2) $\angle B$가 둔각일 때

$180° - B$

$$S = (\boldsymbol{③}\qquad)$$

사각형의 넓이는 어떻게 구할까?

(1)

$\square ABCD$
$= \triangle ABD + \triangle BCD$

(2) 평행사변형

$\angle x$가 예각일 때
$\square ABCD = ab \sin x$

(3)

$\angle x$가 예각일 때
$\square ABCD = (\boldsymbol{④}\qquad)$

$\boldsymbol{①}\ \dfrac{c}{\cos A}$ $\boldsymbol{②}\ \dfrac{a}{\tan A}$ $\boldsymbol{③}\ \dfrac{1}{2} ac \sin(180° - B)$ $\boldsymbol{④}\ \dfrac{1}{2} ab \sin x$

2 원과 직선

3 원과 직선

스스로
공부 계획
세우기

3 원과 직선

1 현의 수직이등분선 핵심 01 02 03

(1) 원의 중심에서 현에 내린 수선은 그 현을 이등분한다.
➡ $\overline{AB} \perp \overline{OM}$이면 $\overline{AM} = \overline{BM}$

(2) 원에서 현의 수직이등분선은 그 원의 중심을 지난다.

현의 길이 또는 원의 중심에서 현까지의 거리를 구할 때, 직각삼각형을 찾아 피타고라스 정리를 이용한다.

2 현의 길이 핵심 04 05

(1) 한 원의 중심으로부터 같은 거리에 있는 두 현의 길이는 같다.
➡ $\overline{OM} = \overline{ON}$이면 $\overline{AB} = \overline{CD}$

(2) 한 원에서 길이가 같은 두 현은 원의 중심으로부터 같은 거리에 있다.
➡ $\overline{AB} = \overline{CD}$이면 $\overline{OM} = \overline{ON}$

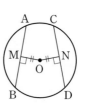

$\overline{OM} = \overline{ON}$이면 $\overline{AB} = \overline{AC}$이므로 $\triangle ABC$는 이등변삼각형이다.

3 원의 접선의 길이 핵심 06 ～ 10

(1) 접선의 길이: 원 O 밖의 한 점 P에서 원 O에 접선을 그을 때 접점을 각각 A, B라고 하면 $\overline{PA}$, $\overline{PB}$의 길이가 점 P에서 원 O에 그은 접선의 길이이다.

(2) 원 O 밖의 한 점 P에서 원 O에 그은 두 접선의 길이는 같다.
➡ $\overline{PA} = \overline{PB}$

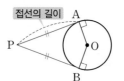
접선의 길이

원의 접선과 반지름

원의 접선은 그 접점을 지나는 반지름과 서로 수직이다.
➡ $\overline{OT} \perp l$

4 삼각형의 내접원과 외접사각형의 성질 핵심 11 ～ 14

(1) 삼각형의 내접원
원 O가 $\triangle ABC$에 내접하고 내접원의 반지름의 길이가 r일 때
① $\overline{AD} = \overline{AF}$, $\overline{BD} = \overline{BE}$, $\overline{CE} = \overline{CF}$
② $\triangle ABC$의 둘레의 길이: $a + b + c = 2(x + y + z)$

(2) 외접사각형의 성질
① 원 O의 외접사각형의 두 쌍의 대변의 길이의 합은 서로 같다.
➡ $\overline{AB} + \overline{CD} = \overline{AD} + \overline{BC}$
② 대변의 길이의 합이 서로 같은 사각형은 원에 외접한다.

외접사각형의 성질

$\overline{AB} + \overline{CD}$
$= (a + b) + (c + d)$
$= (a + d) + (b + c)$
$= \overline{AD} + \overline{BC}$

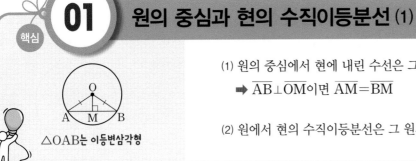

△OAB는 이등변삼각형

(1) 원의 중심에서 현에 내린 수선은 그 현을 이등분한다.

→ $\overline{AB} \perp \overline{OM}$이면 $\overline{AM} = \overline{BM}$

(2) 원에서 현의 수직이등분선은 그 원의 중심을 지난다.

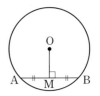

📁 다음 그림의 원 O에서 x의 값을 구하여라.

0247

sol $\overline{AM} = \overline{BM} = \boxed{}$

∴ $x = \boxed{}$

0248

_____

0249

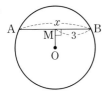

_____

0250

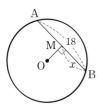

_____

📁 다음 그림의 원의 반지름의 길이를 구하여라.

0251

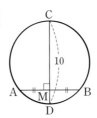

👤 $\overline{CD}$는 원의 중심을 지나.

_____

0252

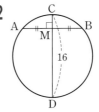

_____

0253

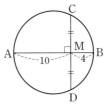

_____

0254

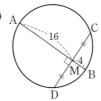

_____

3

원과 직선

02 원의 중심과 현의 수직이등분선 (2)

원의 중심에서 현에 내린 수선은 그 현을 이등분하므로

(1) $\overline{AM} = \overline{BM}$

(2) 직각삼각형 OAM에서

$$\overline{AM} = \sqrt{\overline{OA}^2 - \overline{OM}^2}$$

△OAM은 직각삼각형!

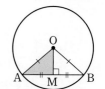

📁 다음 그림의 원 O에서 x의 값을 구하여라.

0255

피타고라스 정리를 이용해.

sol 직각삼각형 OAM에서

$$\overline{AM} = \sqrt{\overline{OA}^2 - \overline{}^2} = \sqrt{5^2 - \boxed{}^2} = \boxed{}$$

$$\therefore x = 2 \times \boxed{} = \boxed{}$$

0256

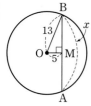

_____

0257

_____

0258

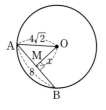

_____

0259

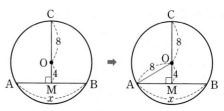

sol $\overline{OA}$를 그으면 $\overline{OA} = \overline{OC} = \boxed{}$

직각삼각형 OAM에서

$$\overline{AM} = \sqrt{\boxed{}^2 - 4^2} = \boxed{}$$

$$\therefore x = 2 \times \boxed{} = \boxed{}$$

0260

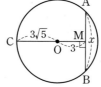

반지름을 그어 직각삼각형을 만들어 봐.

_____

0261

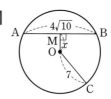

_____

0262 학교 시험 맛보기

오른쪽 그림과 같은 반지름의 길이가 6인 원 O에서 $\overline{AB} \perp \overline{OC}$, $\overline{OM} = \overline{CM}$일 때, $\overline{AB}$의 길이를 구하여라.

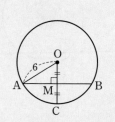

_____

원에서 현의 수직이등분선은
그 원의 중심을 지난다.

원의 반지름의 길이 r 구하기

(1)

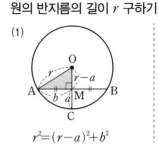

$$r^2 = (r-a)^2 + b^2$$

(2)

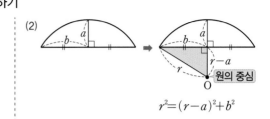

$$r^2 = (r-a)^2 + b^2$$

📁 다음 그림의 원 O의 반지름의 길이를 구하여라.

0263

 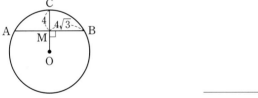

sol $\overline{OB} = r$라고 하면 $\overline{OM} = \boxed{}$

△OMB에서 $r^2 = (\boxed{})^2 + 4^2$ ∴ $r = \boxed{}$

따라서 원 O의 반지름의 길이는 $\boxed{}$이다.

0264

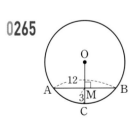

‾‾‾‾‾‾‾‾‾‾

0265

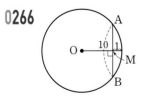

‾‾‾‾‾‾‾‾‾‾

0266

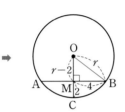

‾‾‾‾‾‾‾‾‾‾

📁 다음 그림에서 $\overset{\frown}{AB}$는 원 O의 일부분이다. $\overline{AM} = \overline{BM}$, $\overline{AB} \perp \overline{CM}$일 때, 원 O의 반지름의 길이를 구하여라.

0267

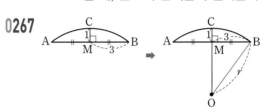

sol $\overline{CM}$의 연장선을 그으면 직선 CM은 원의 중심을 지난다.

$\overline{OB} = r$라고 하면

$\overline{OM} = \boxed{}$

△OBM에서 $r^2 = 3^2 + (\boxed{})^2$ ∴ $r = \boxed{}$

따라서 원 O의 반지름의 길이는 $\boxed{}$이다.

0268

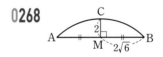

‾‾‾‾‾‾‾‾‾‾

0269

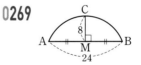

‾‾‾‾‾‾‾‾‾‾

0270 학교 시험 맛보기 ✏️

오른쪽 그림에서 $\overset{\frown}{AB}$는 원의 일
부분이다. $\overline{CM}$이 $\overline{AB}$를 수직이
등분하고 $\overline{AM} = \overline{BM} = 3\sqrt{5}$,
$\overline{CM} = 3$일 때, 이 원의 반지름의 길이를 구하여라.

‾‾‾‾‾‾‾‾‾‾

3

원과 직선

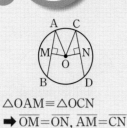

(1) 한 원의 중심으로부터 같은 거리에 있는 두 현의 길이는 같다.
 ➡ $\overline{OM}=\overline{ON}$이면 $\overline{AB}=\overline{CD}$

(2) 한 원에서 길이가 같은 두 현은 원의 중심으로부터 같은 거리에 있다.
 ➡ $\overline{AB}=\overline{CD}$이면 $\overline{OM}=\overline{ON}$

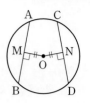

$\triangle OAM \equiv \triangle OCN$
 ➡ $\overline{OM}=\overline{ON}$, $\overline{AM}=\overline{CN}$

📁 다음 그림의 원 O에서 x의 값을 구하여라.

0271

원의 중심으로부터 같은 거리에 있는 두 현의 길이는 서로 같아!

_____

0272

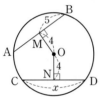

_____

0273

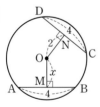

길이가 같은 두 현은 원의 중심으로부터 같은 거리에 있어.

_____

0274

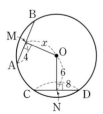

_____

📁 다음 그림의 원 O에서 x의 값을 구하여라.

0275

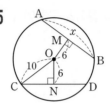

sol 직각삼각형 OCN에서

$\overline{CN}=\sqrt{10^2-6^2}=\boxed{}$

$\overline{CD}=2\overline{CN}=2\times\boxed{}=\boxed{}$

$\overline{OM}=\overline{ON}$이므로

$x=\overline{CD}=\boxed{}$

0276

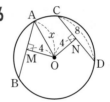

_____

0277

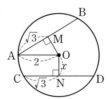

_____

0278 학교 시험 맛보기 ✏️

오른쪽 그림의 원 O에서 $\overline{AB}\perp\overline{OM}$, $\overline{CD}\perp\overline{ON}$이고 $\overline{AB}=6$, $\overline{OA}=4$, $\overline{CN}=3$일 때, x의 값을 구하여라.

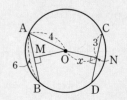

_____

원 O에 내접하는 △ABC에 대하여
$\overline{OM}=\overline{ON}$이면

(1) $\overline{AB}=\overline{AC}$

(2) △ABC는 이등변삼각형

(3) ∠B=∠C

원의 중심으로부터
같은 거리에 있는
두 현의 길이는 같아.

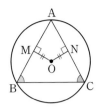

점 O에서 세 변에
내린 수선의 길이가
모두 같으면
△ABC는 정삼각형이다.

📁 다음 그림의 원 O에서 $\overline{OM}=\overline{ON}$일 때, ∠$x$의 크기를 구하여라.

0279

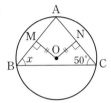

이등변삼각형의
두 밑각의 크기는
같아.

sol $\overline{OM}=\overline{ON}$이므로 $\overline{AB}=\boxed{}$

따라서 △ABC는 이등변삼각형이므로

∠$x=\boxed{}$°

0280

_____

0281

삼각형의 내각의
크기의 합은 180°야.

_____

0282

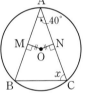

_____

0283

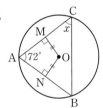

_____

0284

_____

0285 학교 시험 맛보기 ✏️

오른쪽 그림에서 원 O가 △ABC
의 외접원이고 $\overline{OL}=\overline{OM}=\overline{ON}$
일 때, ∠x의 크기를 구하여라.

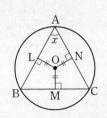

_____

Mini Review Test

Subnote ⟳ 18쪽

핵심 **01**

0286 오른쪽 그림의 원에서 $\overline{AB} \perp \overline{CD}$이고, $\overline{AM} = \overline{BM}$일 때, 원의 반지름의 길이를 구하여라.

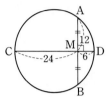

핵심 **02**

0287 오른쪽 그림의 원 O에서 $\overline{AB} \perp \overline{OM}$이고, $\overline{OA} = 6$, $\overline{OM} = 4$일 때, 현 AB의 길이는?

① $2\sqrt{5}$ ② $2\sqrt{10}$
③ $5\sqrt{2}$ ④ $4\sqrt{5}$ ⑤ $4\sqrt{10}$

핵심 **02**

0288 오른쪽 그림의 원 O에서 $\overline{AB} \perp \overline{OM}$이고, $\overline{AB} = 12$, $\overline{OM} = 8$일 때, 원 O의 둘레의 길이를 구하여라.

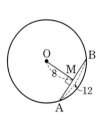

핵심 **02**

0289 오른쪽 그림과 같이 반지름의 길이가 10인 원 O에서 $\overline{AB} \perp \overline{OM}$, $\overline{OM} = 5$일 때, $\overline{AB}$의 길이를 구하여라.

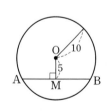

핵심 **03** 서술형

0290 오른쪽 그림에서 $\overset{\frown}{AB}$는 원의 일부분이다. $\overline{CM}$이 $\overline{AB}$를 수직이등분하고 $\overline{AB} = 16$, $\overline{CM} = 4$일 때, 이 원의 반지름의 길이를 구하여라.

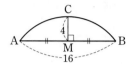

핵심 **04**

0291 오른쪽 그림의 원 O에서 $\overline{AB} \perp \overline{OM}$, $\overline{CD} \perp \overline{ON}$이고 $\overline{ON} = \overline{OM} = 5$일 때, $\overline{CD}$의 길이를 구하여라.

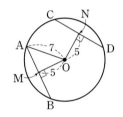

핵심 **05**

0292 오른쪽 그림의 원 O에서 $\overline{OM} = \overline{ON}$일 때, $\angle x$의 크기를 구하여라.

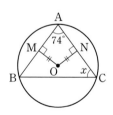

06 원의 접선과 반지름 (1)

Subnote ○19쪽

원의 접선은
그 접점을 지나는
원의 반지름에
수직이야.

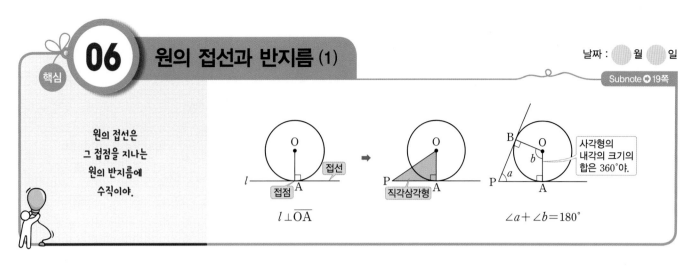

$l \perp \overline{OA}$

$\angle a + \angle b = 180°$

사각형의 내각의 크기의 합은 360°야.

다음 그림에서 점 A는 점 P에서 원 O에 그은 접선의 접점일 때, ∠x의 크기를 구하여라.

0293

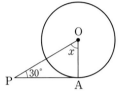

원의 접선이 주어지면 직각부터 표시해!

_____

0294

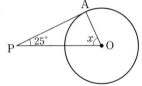

_____

0295

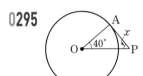

_____

0296

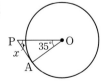

_____

다음 그림에서 두 점 A, B는 점 P에서 원 O에 그은 접선의 접점일 때, ∠x의 크기를 구하여라.

0297

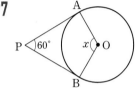

sol □OAPB에서 ∠PAO = ∠PBO = ☐°이므로

∠APB + ∠AOB = ☐°

즉 60° + ∠x = ☐°

∴ ∠x = ☐°

0298

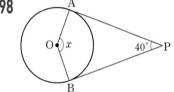

_____

0299

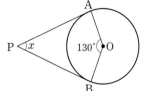

_____

직각삼각형이 보이면
피타고라스 정리를 떠올려!

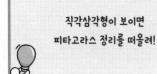

원 밖의 점 P에서 원 O에 그은 접선의 접점을 A라 하면

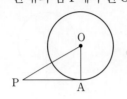 ➡ 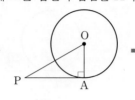 ➡ 직각삼각형 OPA에서
$\overline{PO}^2 = \overline{PA}^2 + \overline{OA}^2$

📂 다음 그림에서 점 A는 점 P에서 원 O에 그은 접선의 접점일 때, x의 값을 구하여라.

0300

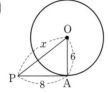

피타고라스 정리를 이용해!

_____

0301

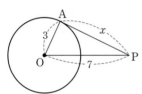

_____

0302

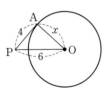

_____

0303

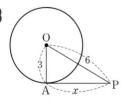

_____

📂 다음 그림에서 점 A는 점 P에서 원 O에 그은 접선의 접점일 때, x의 값을 구하여라.

0304

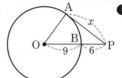

sol $\overline{OA} = \overline{OB} = \square$
직각삼각형 PAO에서
$(9+6)^2 = \square^2 + x^2$, $x^2 = \square$
$\therefore x = \square$ ($\because x > 0$)

0305

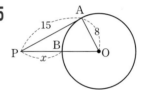

_____

0306

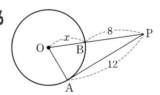

_____

0307 학교 시험 맛보기

오른쪽 그림에서 점 A는 점 P에서 원 O에 그은 접선의 접점이고, 점 B는 원 O와 $\overline{OP}$의 교점이다. $\overline{PA} = 6\sqrt{3}$, $\overline{PB} = 6$일 때, 원 O의 반지름의 길이를 구하여라.

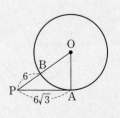

_____

핵심

08 원의 접선의 길이 (1)

△PAO≡△PBO
(RHS 합동)이므로
$\overline{PA}=\overline{PB}$

(1) 원의 접선
 ① 원 밖의 한 점에서 그을 수 있는 접선은 2개이다.
 ② 두 접선의 접점을 각각 A, B라고 할 때, $\overline{PA}$, $\overline{PB}$
  의 길이를 원의 접선의 길이라고 한다.
(2) 원의 접선의 길이의 성질
  원 밖의 한 점에서 그은 두 접선의 길이는 같다.

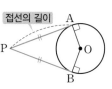

$\overline{PA}=\overline{PB}$

📁 다음 그림에서 두 점 A, B는 점 P에서 원 O에 그은 두 접선의 접점일 때, x의 값을 구하여라.

0308

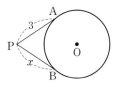

_____

0309

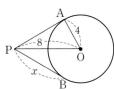

sol △OAP는 ∠OAP=□°인 직각삼각형이므로
$\overline{PA}=\sqrt{8^2-\square^2}=\square$
∴ $x=\overline{PA}=\square$

0310

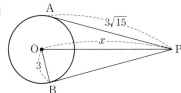

_____

0311

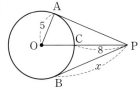

_____

📁 다음 그림에서 두 점 A, B는 점 P에서 원 O에 그은 두 접선의 접점일 때, ∠x의 크기를 구하여라.

0312

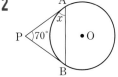

sol $\overline{PA}=\overline{PB}$이므로
∠PAB=∠□
∴ $x=\dfrac{1}{2}\times(180°-\square°)$
$=\square°$

0313

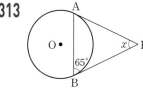

△PAB는 이등변삼각형이야.

_____

0314

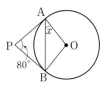

key 먼저 ∠PAB의 크기를 구하고 ∠PAO=90°임을 이용한다.

0315 학교 시험 맛보기

오른쪽 그림에서 두 점 A, B는 점 P에서 원 O에 그은 두 접선의 접점이다. $\overline{PC}=3$, $\overline{OB}=2$일 때, $\overline{PA}$의 길이를 구하여라.

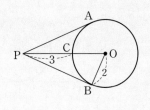

_____

3
원과 직선

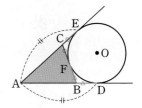

△ABC의 둘레의 길이는
점 A에서 원 O에 그은
두 접선의 길이의 합과 같아.

세 직선 AD, AE, CB가 원 O의 접선이고 점 D, E, F가 접점일 때

(1) $\overline{AE}=\overline{AD}$, $\overline{BD}=\overline{BF}$, $\overline{CE}=\overline{CF}$

(2) (△ABC의 둘레의 길이)
$=\overline{AB}+(\overline{BF}+\overline{FC})+\overline{CA}$
$=\overline{AB}+(\overline{BD}+\overline{CE})+\overline{CA}$
$=(\overline{AB}+\overline{BD})+(\overline{CA}+\overline{CE})$
$=\overline{AD}+\overline{AE}=2\overline{AD}=2\overline{AE}$

📁 다음 그림에서 직선 AD, BC, AF는 각각 점 D, E, F 에서 원 O에 접할 때, x의 값을 구하여라.

0316

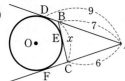

sol $\overline{AF}=\overline{AD}=\square$ 이므로

$\overline{BE}=\overline{BD}=\square-7=\square$

$\overline{CE}=\overline{CF}=\square-6=\square$

$\therefore x=\overline{BE}+\overline{CE}$

$=\square+\square=\square$

0317

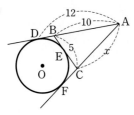

_____

0318

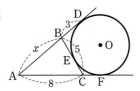

👤 $\overline{CF}$, $\overline{AF}$의 길이를 구해 봐.

_____

0319

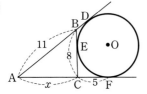

_____

📁 다음 그림에서 직선 AD, BC, AF는 각각 점 D, E, F 에서 원 O에 접할 때, △ABC의 둘레의 길이를 구하 여라.

0320

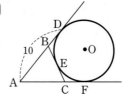

sol (△ABC의 둘레의 길이)
$=2\overline{AD}=\square$

0321

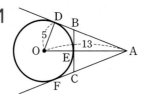

_____

📁 다음 그림에서 직선 AD, BC, AF는 각각 점 D, E, F 에서 원 O에 접할 때, x의 값을 구하여라.

0322

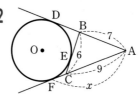

_____

0323

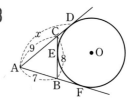

_____

10 반원과 접선

핵심

보조선을 그어 직각삼각형을 만들 수 있어야 해!

$\overline{AB}, \overline{DC}, \overline{AD}$가 반원 O의 접선이고 점 B, C, E가 접점일 때

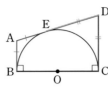 ⇒ 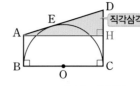 직각삼각형

$\overline{AB}+\overline{DC}=\overline{AD}$　　$\overline{BC}=\overline{AH}=\sqrt{\overline{AD}^2-\overline{DH}^2}$

📁 다음 그림에서 $\overline{AB}, \overline{DC}, \overline{AD}$가 반원 O의 접선이고, 점 B, C, E는 접점일 때, 다음을 구하여라.

0324 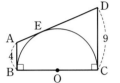 ⇒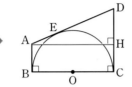

(1) $\overline{AD}$의 길이

> sol $\overline{AE}=\overline{AB}=\boxed{}$, $\overline{ED}=\overline{DC}=\boxed{}$
> $\therefore \overline{AD}=\overline{AE}+\overline{ED}=\boxed{}+\boxed{}=\boxed{}$

(2) $\overline{BC}$의 길이

> sol △DAH에서 $\overline{AH}=\sqrt{13^2-5^2}=\boxed{}$
> $\therefore \overline{BC}=\overline{AH}=\boxed{}$

0325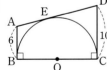

(1) $\overline{AD}$의 길이 _____

(2) $\overline{BC}$의 길이 _____

0326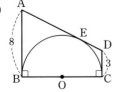

(1) $\overline{AD}$의 길이 _____

(2) $\overline{BC}$의 길이 _____

📁 다음 그림에서 $\overline{AB}, \overline{DC}, \overline{AD}$가 반원 O의 접선이고, 점 B, C, E는 접점일 때, x의 값을 구하여라.

0327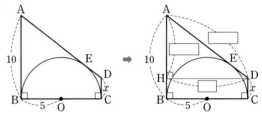

> sol △AHD에서
> $\overline{AD}=\overline{AE}+\overline{ED}=10+x$, $\overline{AH}=\boxed{}$
> $\overline{HD}=\overline{BC}=\boxed{}$이므로
> $(10+x)^2=(10-x)^2+10^2$
> $40x=\boxed{}$　　$\therefore x=\boxed{}$

0328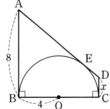

 점 D에서 $\overline{AB}$에 수선의 발을 내려!

_____

0329 학교 시험 맛보기 ✏️

오른쪽 그림에서 $\overline{AB}$는 반원 O의 지름이고 $\overline{AC}, \overline{BD}, \overline{CD}$는 반원에 접한다. 점 A, B, E가 접점이고 $\overline{AO}=6$, $\overline{BD}=10$일 때, $\overline{AC}$의 길이를 구하여라.

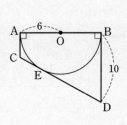

_____

Subnote ○ 21쪽

원 O가 △ABC의 내접원이고, 세 점 D, E, F가 접점일 때,

(1) $\overline{AD}=\overline{AF}$, $\overline{BD}=\overline{BE}$, $\overline{CE}=\overline{CF}$

(2) (△ABC의 둘레의 길이)$=a+b+c=2(x+y+z)$

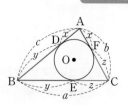

📁 다음 그림에서 원 O는 △ABC의 내접원이고 세 점 D, E, F는 접점일 때, x의 값을 구하여라.

0330

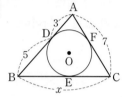

sol $\overline{BE}=\overline{BD}=\boxed{}$

$\overline{AF}=\overline{AD}=\boxed{}$이므로

$\overline{EC}=\overline{FC}=\boxed{}$

∴ $x=\overline{BE}+\overline{CE}=\boxed{}$

0331

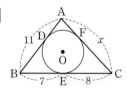

_____

0332

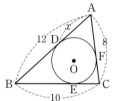

x에 대한 방정식을 세워.

sol $\overline{AD}=\overline{AF}=x$이므로

$\overline{BE}=\overline{BD}=12-x$, $\overline{CE}=\overline{CF}=\boxed{}$

$\overline{BC}=(12-x)+(\boxed{})=10$

∴ $x=\boxed{}$

0333

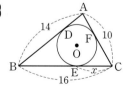

_____

📁 다음 그림에서 원 O는 △ABC의 내접원이고 세 점 D, E, F는 접점일 때, △ABC의 둘레의 길이를 구하여라.

0334

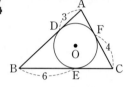

sol (△ABC의 둘레의 길이)

$=2\times(3+\boxed{}+4)$

$=\boxed{}$

0335

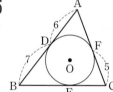

같은 길이가 2개씩!

_____

0336

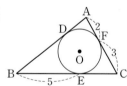

_____

0337 학교 시험 맛보기

오른쪽 그림에서 원 O는 △ABC의 내접원이고 세 점 D, E, F는 접점이다. $\overline{AB}=9$, $\overline{BC}=8$, $\overline{CA}=7$일 때, $\overline{BE}$의 길이를 구하여라.

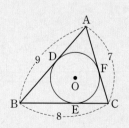

_____

원의 중심에서
접선까지의 거리는
반지름의 길이와 같아.

$\angle C = 90°$인 직각삼각형 ABC의 내접원 O와 $\overline{BC}$, $\overline{CA}$의 접점을 각각 D, E라고 하면

(1) $\overline{CD} = \overline{CE}$, $\angle ODC = \angle OEC = 90°$
  ➡ □ODCE는 한 변의 길이가 r인 정사각형이 된다.

(2) 내접원 O의 반지름의 길이는 $\overline{DC}$이다.

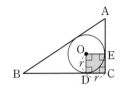

📂 다음 그림에서 원 O는 직각삼각형 ABC의 내접원이고 세 점 D, E, F는 접점일 때, 원의 반지름의 길이 r의 값을 구하여라.

0338

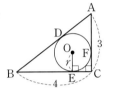 ➡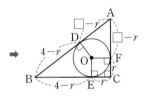

sol 직각삼각형 ABC에서 $\overline{AB} = \sqrt{3^2 + 4^2} = \boxed{}$

$\overline{CE} = \overline{CF} = r$이므로 $\overline{BD} = \overline{BE} = \boxed{} - r$,

$\overline{AD} = \overline{AF} = \boxed{} - r$

$\overline{AB} = \overline{AD} + \overline{BD} = \boxed{}$이므로

$(\boxed{} - r) + (\boxed{} - r) = \boxed{}$　　∴ $r = \boxed{}$

0339

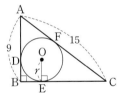

_____

0340

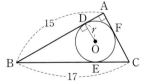

_____

0341

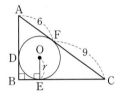

sol $\overline{AB} = 6 + r$, $\overline{BC} = \boxed{}$이므로

직각삼각형 ABC에서

$(6 + r)^2 + (\boxed{})^2 = 15^2$

$r^2 + 15r - 54 = 0$

$(r + \boxed{})(r - \boxed{}) = 0$

∴ $r = \boxed{}$ $(\because r > 0)$

 r에 대한 이차방정식을 세워.

0342

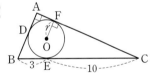

_____

0343 학교 시험 맛보기

오른쪽 그림에서 원 O는 직각삼각형 ABC의 내접원이고, 세 점 D, E, F는 접점일 때, 내접원 O의 넓이를 구하여라.

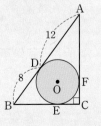

_____

3

원과 직선

원 O에 외접하는 □ABCD에서
(1) 두 쌍의 대변의 길이의 합은 서로 같다.

➡ $\overline{AB}+\overline{CD}=\overline{AD}+\overline{BC}$

(2) 대변의 길이의 합이 서로 같은 사각형은 원에 외접한다.

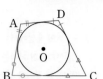

$\overline{AB}+\overline{CD}=\overline{AD}+\overline{BC}$

 다음 그림에서 □ABCD가 원 O에 외접할 때, x의 값을 구하여라.

0344

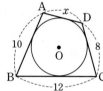

sol $\overline{AB}+\overline{CD}=\overline{AD}+\overline{BC}$이므로

$10+\square=x+\square$

∴ $x=\square$

0345

_____

0346

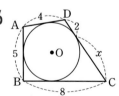

_____

0347

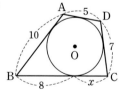

_____

 다음 그림에서 □ABCD가 원 O에 외접할 때, □ABCD의 둘레의 길이를 구하여라.

0348

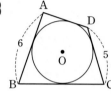

sol $\overline{AD}+\overline{BC}=\overline{AB}+\overline{CD}$이므로

(□ABCD의 둘레의 길이)

$=2\times(\overline{AB}+\overline{CD})$

$=2\times\square=\square$

0349

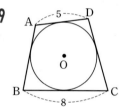

_____

0350

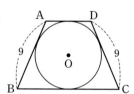

_____

0351 학교 시험 맛보기

오른쪽 그림과 같이 □ABCD가 원 O에 외접할 때, □ABCD의 둘레의 길이를 구하여라.

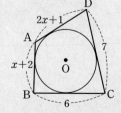

_____

key $\overline{AD}+\overline{BC}=\overline{AB}+\overline{DC}$임을 이용하여 x의 값을 먼저 구한다.

원의 반지름의 길이가
접선의 길이와
같음을 이용해.

(1) □ABCD가 원 O에 외접하고,
∠B=90°일 때

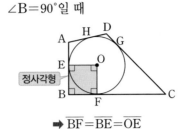

➡ $\overline{BF}=\overline{BE}=\overline{OE}$

(2) 직사각형 ABCD의 세 변에 원 O가
접하고 $\overline{DE}$가 원 O의 접선일 때

$\boxed{\overline{AB}+\overline{ED}=\overline{AD}+\overline{BE}}$

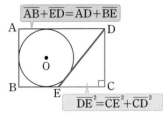

$\boxed{\overline{DE}^2=\overline{CE}^2+\overline{CD}^2}$

📁 다음 그림에서 □ABCD가 원 O에 외접하고 네 점 E, F, G, H는 접점일 때, x의 값을 구하여라.

0352

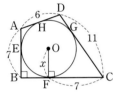

sol $\overline{BF}=\overline{OF}=\boxed{}$

$\overline{AB}+\overline{CD}=\overline{AD}+\overline{BC}$이므로

$7+\boxed{}=6+(x+\boxed{})$

∴ $x=\boxed{}$

0353

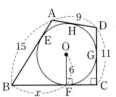

0354

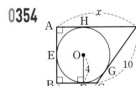

sol $\overline{AB}=\overline{HF}=2\overline{OF}=\boxed{}$

$\overline{AB}+\overline{CD}=\overline{AD}+\overline{BC}$이므로

$\boxed{}+10=x+\boxed{}$

∴ $x=\boxed{}$

0355

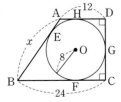

📁 다음 그림과 같이 직사각형 ABCD의 세 변에 원 O가 접하고 $\overline{DE}$가 원 O의 접선일 때, x의 값을 구하여라.

0356

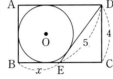

sol 직각삼각형 DEC에서 $\overline{EC}=\sqrt{5^2-\boxed{}^2}=\boxed{}$이므로

$\overline{AD}=\overline{BC}=x+\boxed{}$

□ABED에서 $\overline{AB}+\overline{ED}=\overline{AD}+\overline{BE}$이므로

$\boxed{}+5=(x+\boxed{})+x$ ∴ $x=\boxed{}$

0357

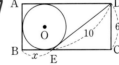

0358 학교 시험 맛보기

오른쪽 그림에서 원 O는 직사각형 ABCD의 세 변과 접하고 $\overline{DE}$는 원 O의 접선이다. 이때 $\overline{BC}$의 길이를 구하여라.

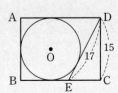

Mini Review Test

Subnote ⊙ 22쪽

핵심 06

0359 오른쪽 그림에서 두 점 A, B는 점 P에서 원 O에 그은 두 접선의 접점일 때, $\angle x$의 크기를 구하여라.

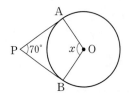

핵심 07

0360 오른쪽 그림에서 점 A는 점 P에서 원 O에 그은 접선의 접점이고, 점 B는 원 O와 $\overline{OP}$의 교점이다. 원 O의 반지름의 길이를 구하여라.

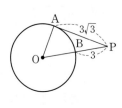

핵심 08

0361 오른쪽 그림에서 두 점 A, B는 점 P에서 원 O에 그은 두 접선의 접점이다. $\overline{PA}$의 길이를 구하여라.

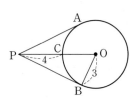

핵심 09

0362 오른쪽 그림에서 직선 AD, BC, AF는 각각 점 D, E, F에서 원 O에 접할 때, $\overline{CF}$의 길이를 구하여라.

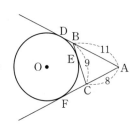

핵심 11

0363 오른쪽 그림에서 원 O는 △ABC의 내접원이고, 세 점 D, E, F는 접점이다. $\overline{AB}=8$, $\overline{AD}=2$, $\overline{AC}=5$일 때, $\overline{BC}$의 길이를 구하여라.

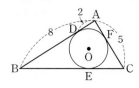

핵심 12 서술형

0364 오른쪽 그림에서 원 O는 직각삼각형 ABC의 내접원이고 세 점 D, E, F는 접점일 때, 내접원 O의 넓이를 구하여라.

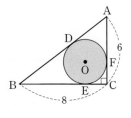

핵심 13

0365 오른쪽 그림에서 □ABCD가 원 O에 외접할 때, x의 값을 구하여라.

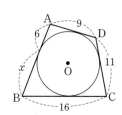

핵심 14

0366 오른쪽 그림과 같이 원 O는 직사각형 ABCD의 세 변에 접한다. $\overline{DE}$가 원 O의 접선이고, 점 F, G, H가 접점일 때, x의 값을 구하여라.

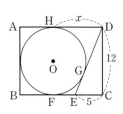

Review

원의 중심에서 현에 내린 수선은 어떤 성질을 가질까?

현을 이등분해.
➡ $\overline{OM} \perp \overline{AB}$이면
$\overline{AM} = ($❶$\qquad)$

원의 중심과 현의 길이 사이에는 어떤 관계가 있을까?

원의 중심으로부터 같은 거리에 있는
두 현의 길이는 서로 같아.
(1) $\overline{OM} = \overline{ON}$이면 $\overline{AB} = \overline{CD}$
(2) $\overline{AB} = \overline{CD}$이면 ($❷$\qquad)$

원 밖의 한 점에서 그 원에 그은 접선은 어떤 성질을 가질까?

접선은 2개뿐이고, 두 접선의 길이는 같아.
➡ $\overline{PA} = ($❸$\qquad)$

원에 외접하는 사각형의 변의 길이 사이에는 어떤 관계가 있을까?

$\overline{AB} + \overline{CD} = ($❹$\qquad)$

❶ $\overline{BM}$ ❷ $\overline{OM} = \overline{ON}$ ❸ $\overline{PB}$ ❹ $\overline{AD} + \overline{BC}$

3 원주각

이미 배운 내용	이번에 배울 내용
[중학교 1학년] • 부채꼴의 성질 **[중학교 2학년]** • 도형의 닮음 • 피타고라스 정리 **[중학교 3학년]** • 삼각비 • 원과 직선	**4. 원주각** ⊙ 원주각의 성질 ⊙ 원에 내접하는 사각형 ⊙ 접선과 현이 이루는 각

4 원주각

스스로
공부 계획
세우기

4 원주각

1 원주각과 중심각의 크기 핵심 01 02 03

(1) 원주각 : 원 O에서 호 AB 위에 있지 않은 원 위의 한 점 P에 대하여
∠APB를 호 AB에 대한 원주각이라고 한다.

(2) 원주각과 중심각 사이의 관계 : 한 원에서 한 호에 대한 원주각의 크
기는 그 호에 대한 중심각의 크기의 $\frac{1}{2}$이다.

➡ $\angle APB = \frac{1}{2}\angle AOB$

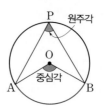

한 원에서 한 호에 대한 중심각
은 오직 1개이지만, 원주각은 무
수히 많다.

2 원주각의 성질 핵심 04 05

(1) 한 원에서 한 호에 대한 원주각의 크기는 모두 같다.

➡ $\angle APB = \angle AQB = \angle ARB$

$\angle APB = \frac{1}{2}\angle AOB$

$\angle AQB = \frac{1}{2}\angle AOB$

$\angle ARB = \frac{1}{2}\angle AOB$

(2) 반원에 대한 원주각의 크기는 90°이다.

➡ $\angle APB = 90°$

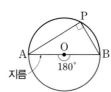

반원에 대한 중심각의 크기가
180°이므로
$\angle APB = \frac{1}{2} \times 180° = 90°$

3 원주각의 크기와 호의 길이 핵심 06 07 08

한 원에서

(1) 길이가 같은 호에 대한 원주각의 크기는 서로 같다.

➡ $\overarc{AB} = \overarc{CD}$이면 $\angle APB = \angle CQD$

(2) 크기가 같은 원주각에 대한 호의 길이는 서로 같다.

➡ $\angle APB = \angle CQD$이면 $\overarc{AB} = \overarc{CD}$

(3) 호의 길이는 그 호에 대한 원주각의 크기에 정비례한다.

주의 원주각의 크기와 현의 길이는 정비례하지 않는다.

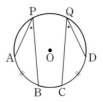

호의 길이는 그 호에 대한 중심
각의 크기에 정비례하므로 그 호
에 대한 원주각의 크기에도 정비
례한다.

4 네 점이 한 원 위에 있을 조건 핵심 09 12

두 점 C, D가 직선 AB에 대하여 같은 쪽에 있을 때
(1) ∠ACB=∠ADB이면 네 점 A, B, C, D는 한 원 위에 있다.
(2) 네 점 A, B, C, D가 한 원 위에 있으면 ∠ACB=∠ADB이다.

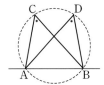

개념 NOTE

직선 AB에 대하여 두 점 C, D 가 다른 방향에 있으면 ∠ACB=∠ADB이어도 네 점 A, B, C, D는 한 원 위에 있다 고 할 수 없다.

5 원에 내접하는 사각형의 성질 핵심 10 11 12

(1) 원에 내접하는 사각형의 성질
원에 내접하는 사각형에서
① 한 쌍의 대각의 크기의 합은 180°이다.
   ➡ ∠A+∠C=∠B+∠D=180°
② 한 외각의 크기는 그 내대각의 크기와 같다.
   ➡ ∠DCE=∠A

(2) 사각형이 원에 내접하기 위한 조건
① 한 쌍의 대각의 크기의 합이 180°인 사각형은 원에 내접한다.
② 한 외각의 크기와 그 내대각의 크기가 같은 사각형은 원에 내접한다.

원에 항상 내접하는 사각형
① 정사각형
② 직사각형
③ 등변사다리꼴

6 접선과 현이 이루는 각 핵심 13 14 15

원의 접선과 그 접점을 지나는 현이 이루는 각의 크기는 그 각의
내부에 있는 호에 대한 원주각의 크기와 같다.
➡ ∠BAT=∠BCA, ∠CAT'=∠CBA

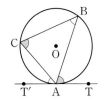

접선이 되기 위한 조건
원 O에서 ∠BAT=∠BCA이 면 직선 AT는 이 원의 접선이 다.

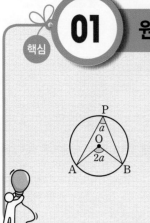

(1) **원주각** : 원 O에서 호 AB 위에 있지 않은 원 위의 한 점 P에 대하여 ∠APB를 호 AB에 대한 원주각이라고 한다.

(2) **원주각과 중심각 사이의 관계** : 한 원에서 한 호에 대한 원주각의 크기는 그 호에 대한 중심각의 크기의 $\frac{1}{2}$이다.

➡ $\angle APB = \frac{1}{2}\angle AOB$

한 원에서 한 호에 대한 중심각은 1개이고, 원주각은 무수히 많다.

 다음 그림의 원 O에서 ∠x의 크기를 구하여라.

0367

sol $\angle x = \boxed{}\ \angle AOB$

$= \boxed{} \times 140°$

$= \boxed{}°$

0368

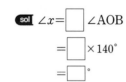

0369

0370

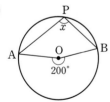

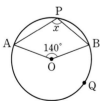

∠APB는 호 AQB의 원주각이야.

 다음 그림의 원 O에서 ∠x의 크기를 구하여라.

0371

sol $\angle x = \boxed{}\ \angle APB$

$= \boxed{} \times 60°$

$= \boxed{}°$

0372

0373

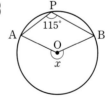

0374 학교 시험 맛보기

오른쪽 그림의 원 O에서 ∠APB=105°일 때, ∠x의 크기를 구하여라.

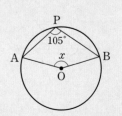

02 원주각과 중심각의 크기 (2)

Subnote ⊙ 23쪽

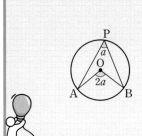

(1)

$$\angle x = \frac{1}{2} \times (180° - 2\angle a)$$

(2) 두 점 A, B가 점 P에서 원 O에 그은 두 접선의 접점일 때

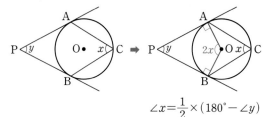

$$\angle x = \frac{1}{2} \times (180° - \angle y)$$

📁 다음 그림의 원 O에서 ∠x의 크기를 구하여라.

0375

 이등변삼각형의 두 밑각의 크기는 같아.

sol ∠AOB=□∠APB=□×50°=□°

△OAB는 이등변삼각형이므로

$$\angle x = \frac{1}{2} \times (180° - \boxed{}°) = \boxed{}°$$

0376

0377

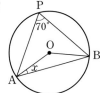

0378

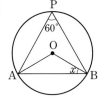

📁 다음 그림에서 두 점 A, B는 점 P에서 원 O에 그은 두 접선의 접점일 때, ∠x의 크기를 구하여라.

0379

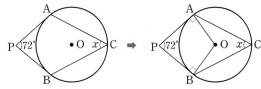

sol $\overline{OA}, \overline{OB}$를 그으면 ∠APB+∠AOB=□°이므로

∠AOB=180°−□°=□°

$$\therefore \angle x = \frac{1}{2}\angle AOB = \frac{1}{2} \times \boxed{}° = \boxed{}°$$

0380

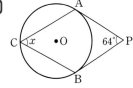

0381

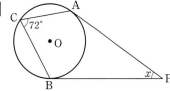

0382 학교 시험 맛보기

오른쪽 그림에서 두 점 A, B 는 점 P에서 원 O에 그은 두 접선의 접점이다.

∠ACB=50°일 때, ∠x의 크 기를 구하여라.

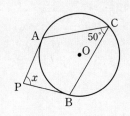

4

원주각

03 원주각과 중심각의 크기 (3)

핵심

보조선을 그어
각 호에 대한 중심각과
원주각을 살펴봐.

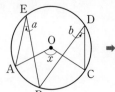 → 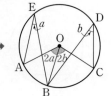 → $\angle x = 2\angle a + 2\angle b$

📂 다음 그림의 원 O에서 ∠x의 크기를 구하여라.

0383

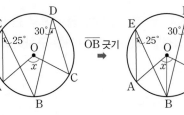 $\overline{OB}$ 긋기

sol $\angle AOB = 2\angle AEB = \boxed{}°$
$\angle BOC = 2\angle BDC = \boxed{}°$
∴ ∠x = ∠AOB + ∠BOC = $\boxed{}°$

0384

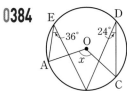

_____

0385

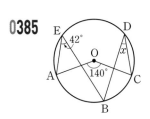

_____

0386

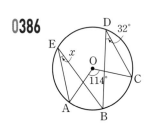

_____

0387

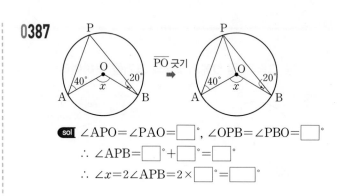 $\overline{PO}$ 긋기

sol $\angle APO = \angle PAO = \boxed{}°$, $\angle OPB = \angle PBO = \boxed{}°$
∴ ∠APB = $\boxed{}°$ + $\boxed{}°$ = $\boxed{}°$
∴ ∠x = 2∠APB = 2 × $\boxed{}°$ = $\boxed{}°$

0388

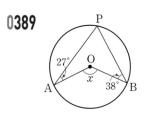

$\overline{PO}$를 그어서
△OPA와 △OPB가
이등변삼각형임을
이용해.

_____

0389

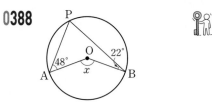

_____

0390 학교 시험 맛보기 ✏️

오른쪽 그림에서 ∠AOC = 124°,
∠BDC = 30°일 때, ∠x의 크기
를 구하여라.

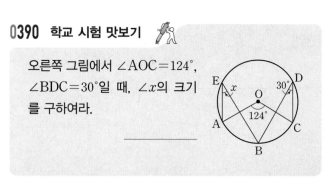

_____

호 AB에 대한
원주각 ∠APB는 점 P의
위치에 따라 무수히 많아.

한 원에서 한 호에 대한 원주각의 크기는 모두 같다.

➡ $\angle APB = \angle AQB = \angle ARB = \dfrac{1}{2} \angle AOB$

📁 다음 그림의 원 O에서 ∠x의 크기를 구하여라.

0391

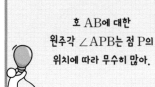

 AB에 대한 원주각이야.

_____

0392

_____

📁 다음 그림의 원 O에서 ∠x, ∠y의 크기를 각각 구하여라.

0393

_____

0394

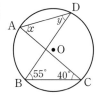

_____

0395

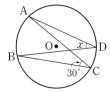

_____

0396

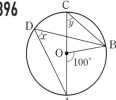

_____

0397

_____

0398 학교 시험 맛보기

오른쪽 그림과 같은 원 O에서
∠DAC=20˚, ∠AOB=106˚
일 때, ∠x+∠y의 크기를 구하
여라.

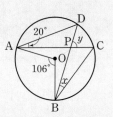

_____

지름이 빗변인 삼각형은
직각삼각형!

반원에 대한 원주각의 크기는 90°이다.

➡ ∠APB=90°

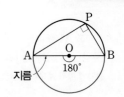

🗂 다음 그림에서 $\overline{AB}$가 원 O의 지름일 때, ∠x의 크기를 구하여라.

0399

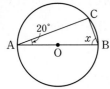

sol $\overline{AB}$가 원 O의 지름이므로

∠ACB=☐°

∴ ∠x=180°−(☐°+20°)

=☐°

0400

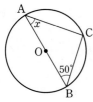

0401

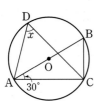

0402

0403

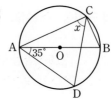

sol $\overline{AB}$가 원 O의 지름이므로

∠ACB=☐°

∠BCD=∠BAD=35°

∴ ∠x=☐°−35°=☐°

0404

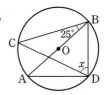

0405

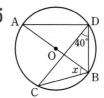

0406 학교 시험 맛보기

오른쪽 그림에서 $\overline{AB}$는 원 O의 지름이고 ∠DCB=27°, ∠CDB=52°일 때, ∠x, ∠y의 크기를 각각 구하여라.

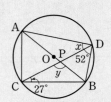

한 원에서 길이가 같은 호에 대한 원주각의 크기는 같아.

한 원에서
(1) 길이가 같은 호에 대한 원주각의 크기는 서로 같다.
　➡ $\widehat{AB}=\widehat{CD}$이면 $\angle APB=\angle CQD$
(2) 크기가 같은 원주각에 대한 호의 길이는 서로 같다.
　➡ $\angle APB=\angle CQD$이면 $\widehat{AB}=\widehat{CD}$

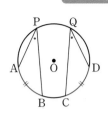

📂 다음 그림의 원 O에서 x의 값을 구하여라.

0407

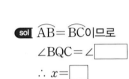

sol $\widehat{AB}=\widehat{BC}$이므로
$\angle BQC=\angle \boxed{}$
$\therefore x=\boxed{}$

0408

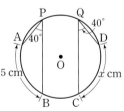

0409

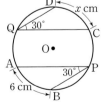

0410

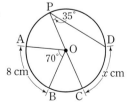

📂 다음 그림의 원 O에서 x의 값을 구하여라.

0411

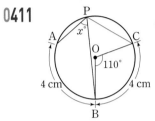

sol $\overline{PC}$를 그으면
$\widehat{AB}=\boxed{}$이므로
$\angle APB=\angle BPC$
$=\boxed{}\angle BOC=\boxed{}°$
$\therefore x=\boxed{}$

0412

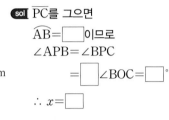

0413

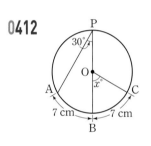

0414

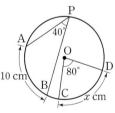

호의 길이가 2배이면
원주각의 크기도 2배!

한 원에서 호의 길이는 그 호에 대한 중심각의 크기에 정비례하므로 호의 길이와 그 호에 대한 원주각의 크기도 정비례한다.

➡ 오른쪽 그림에서 $\angle x : \angle y = \widehat{AB} : \widehat{BC}$이다.

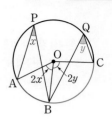

📁 다음 그림의 원 O에서 ∠x의 크기를 구하여라.

0415

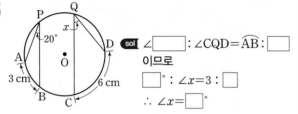

sol $\angle$ [ ] : $\angle$CQD = $\widehat{AB}$: [ ]
이므로

[ ]° : $\angle x$ = 3 : [ ]

∴ $\angle x$ = [ ]°

0416

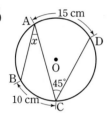

0417

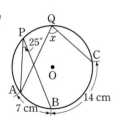

0418

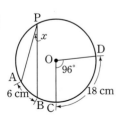

📁 다음 그림의 원 O에서 x의 값을 구하여라.

0419

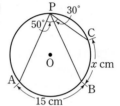

0420

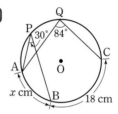

0421

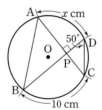

0422 학교 시험 맛보기

오른쪽 그림에서 $\overline{AB}$가 원 O의 지름일 때, x의 값을 구하여라.

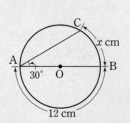

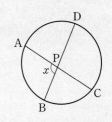

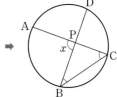

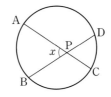

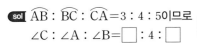
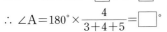
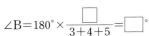
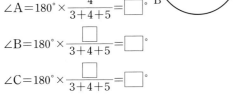
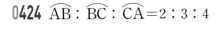
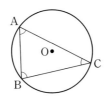
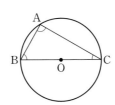

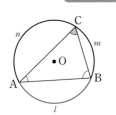

08 원주각의 크기와 호의 길이 (3)

핵심

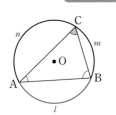

날짜 : ● 월 ● 일

Subnote ● 25쪽

원에서 모든 호에 대한
원주각의 크기의 합은
180°야.

원 O에 내접하는 △ABC에 대하여

$\widehat{AB} : \widehat{BC} : \widehat{CA} = l : m : n$이면

➡ $\angle C = 180° \times \dfrac{l}{l+m+n}$

참고 $\widehat{AB}$의 길이가 원주의 $\dfrac{1}{k}$이면 $\angle C = 180° \times \dfrac{1}{k}$

📂 원 O에 내접하는 △ABC에 대하여 호의 길이의 비가 다음과 같을 때, ∠A, ∠B, ∠C의 크기를 각각 구하여라.

0423 $\widehat{AB} : \widehat{BC} : \widehat{CA} = 3 : 4 : 5$

sol $\widehat{AB} : \widehat{BC} : \widehat{CA} = 3 : 4 : 5$이므로

∠C : ∠A : ∠B = ☐ : 4 : ☐

∴ $\angle A = 180° \times \dfrac{4}{3+4+5} = $ ☐°

$\angle B = 180° \times \dfrac{☐}{3+4+5} = $ ☐°

$\angle C = 180° \times \dfrac{☐}{3+4+5} = $ ☐°

0424 $\widehat{AB} : \widehat{BC} : \widehat{CA} = 2 : 3 : 4$

_____

0425 $\widehat{AB} : \widehat{BC} : \widehat{CA} = 1 : 3 : 2$

_____

📂 다음 그림의 원에서 주어진 조건을 만족시키는 ∠x의 크기를 구하여라.

0426 $\widehat{AB}$는 원주의 $\dfrac{1}{3}$, $\widehat{CD}$는 원주의 $\dfrac{1}{6}$

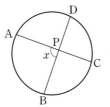 ➡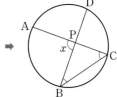

sol $\angle ACB = 180° \times \dfrac{1}{☐} = $ ☐°

$\angle DBC = 180° \times \dfrac{1}{☐} = $ ☐°

∴ $\angle x = $ ☐°

0427 $\widehat{AB}$는 원주의 $\dfrac{1}{4}$, $\widehat{CD}$는 원주의 $\dfrac{1}{9}$

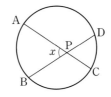

_____

0428 학교 시험 맛보기 🖊

오른쪽 그림에서 $\widehat{AB}$, $\widehat{CD}$의 길이가 각각 원의 둘레의 길이의 $\dfrac{2}{9}$, $\dfrac{1}{3}$일 때, ∠x의 크기를 구하여라.

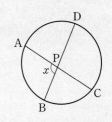

_____

4

원주각

핵심 01

0429 오른쪽 그림의 원 O에서
∠x의 크기를 구하여라.

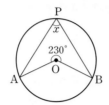

핵심 02

0430 다음 그림에서 두 점 A, B는 점 P에서 원 O에 그
은 두 접선의 접점이다. ∠ACB=63°일 때, ∠x의
크기를 구하여라.

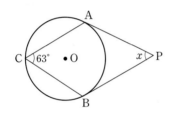

핵심 03

0431 오른쪽 그림의 원 O에서
∠AOC=130°, ∠BDC=25°
일 때, ∠x의 크기를 구하여라.

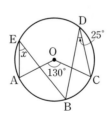

핵심 04

0432 오른쪽 그림의 원 O에서
∠ABP=34°일 때, ∠x+∠y의
크기를 구하여라.

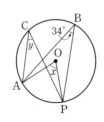

핵심 05

0433 오른쪽 그림에서 $\overline{CD}$는 원 O의
지름일 때, ∠x+∠y의 크기를
구하여라.

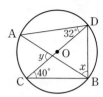

핵심 06

0434 오른쪽 그림의 원 O에서
∠x의 크기를 구하여라.

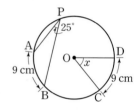

핵심 07 서술형

0435 오른쪽 그림의 원에서 x의 값
을 구하여라.

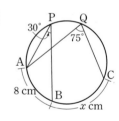

핵심 08

0436 오른쪽 그림의 원 O에서
$\overarc{AB}$: $\overarc{BC}$: $\overarc{CA}$=6 : 5 : 4
일 때, △ABC의 가장 큰 내
각의 크기를 구하여라.

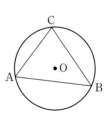

원주각의 성질을
떠올려 봐.

두 점 C, D가 직선 AB에 대하여
같은 쪽에 있을 때 ∠ACB＝∠ADB
이면 네 점 A, B, C, D는 한 원 위에
있다.

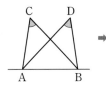 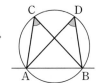

참고 네 점 A, B, C, D가 한 원 위에
있으면 ∠ACB＝∠ADB이다.

📁 다음 그림에서 네 점 A, B, C, D가 한 원 위에 있으면
◯표, 한 원 위에 있지 않으면 ×표를 하여라.

0437

( )

0438

( )

0439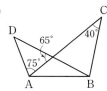

( )

0440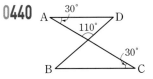

( )

📁 다음 그림에서 네 점 A, B, C, D가 한 원 위에 있도록
하는 ∠x의 크기를 구하여라.

0441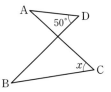

_____

0442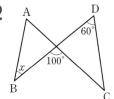

_____

0443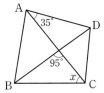

_____

0444 학교 시험 맛보기

오른쪽 그림에서 네 점 A, B,
C, D가 한 원 위에 있을 때,
∠x의 크기를 구하여라.

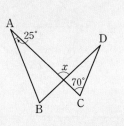

_____

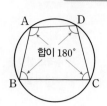

원에 내접하는 사각형에서 한 쌍의 대각의 크기의 합은 180°이다.

➡ $\angle A + \angle C = \angle B + \angle D = 180°$

📂 다음 그림에서 □ABCD가 원 O에 내접할 때, ∠x, ∠y의 크기를 각각 구하여라.

0445

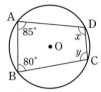

sol ∠x + ☐° = 180°이므로 ∠x = ☐°

∠y + ☐° = 180°이므로 ∠y = ☐°

0446

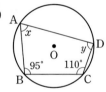

_____

0447

_____

0448

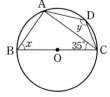

 $\overline{BC}$는 원의 지름!

_____

0449

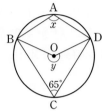

_____

0450

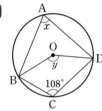

_____

0451

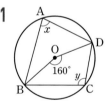

_____

0452 학교 시험 맛보기 🖊

오른쪽 그림과 같이 원에 내접하는 □ABCD에서 $\overline{AB} = \overline{AC}$이고 ∠BAC = 40°일 때, ∠$x$의 크기를 구하여라.

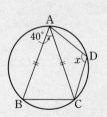

_____

key 이등변삼각형의 두 밑각의 크기는 같다.

11 원에 내접하는 사각형의 성질 (2)

핵심

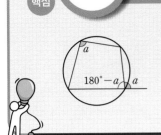

원에 내접하는 사각형에서 한 외각의 크기는
그와 이웃한 내각의 대각의 크기와 같다.

➡ ∠DCE＝∠A

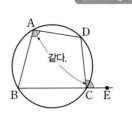

📁 다음 그림에서 □ABCD가 원 O에 내접할 때, ∠x의 크기를 구하여라.

0453

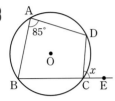

_____

0454

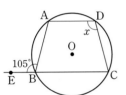

_____

0455

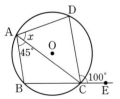

_____

0456

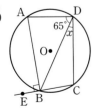

_____

📁 다음 그림에서 □ABCD가 원 O에 내접할 때, ∠x, ∠y의 크기를 각각 구하여라.

0457

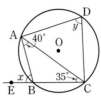

_____

0458

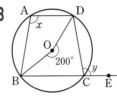

_____

0459

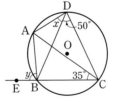

 원주각의 성질을 이용해 봐.

_____

0460 학교 시험 맛보기 ✏

오른쪽 그림에서 $\overline{BC}$는 원 O의 지름이고 ∠CDE＝60°, ∠DBC＝35°일 때, ∠y−∠x의 크기를 구하여라.

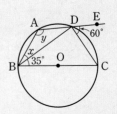

_____

4

원주각

정사각형, 직사각형, 등변사다리꼴은 항상 원에 내접해!

다음 세 가지 조건 중 어느 하나를 만족하면 □ABCD는 원에 내접한다.

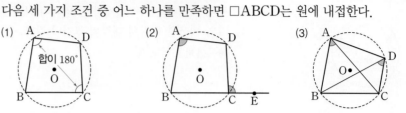

(1) ➡ ∠A+∠C=180°
　　또는 ∠B+∠D=180°

(2) ➡ ∠DCE=∠A

(3) ➡ ∠BAC=∠BDC

📁 다음 그림에서 □ABCD가 원에 내접하면 ○표, 내접하지 않으면 ×표를 하여라.

0461

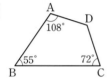

(　　)

0462

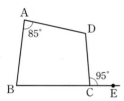

(　　)

0463

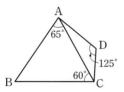

(　　)

0464

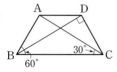

(　　)

📁 다음 그림에서 □ABCD가 원에 내접하도록 하는 ∠x, ∠y의 크기를 각각 구하여라.

0465

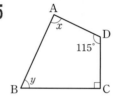

_____

0466

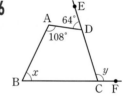

_____

0467

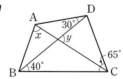

_____

0468 학교 시험 맛보기 ✏️

오른쪽 그림의 □ABCD에서 ∠x의 크기를 구하여라.

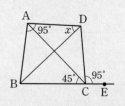

_____

13 접선과 현이 이루는 각 (1)

원의 접선과 그 접점을 지나는 현이 이루는 각의 크기는 그 각의 내부에 있는 호에 대한 원주각의 크기와 같다.

➡ ∠BAT = ∠BCA

참고 원 O에서 ∠BAT = ∠BCA이면 직선 AT는 원 O의 접선이다.

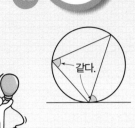

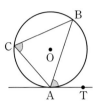

📁 다음 그림에서 직선 AT는 원 O의 접선이고 점 A는 접점일 때, ∠x의 크기를 구하여라.

0469

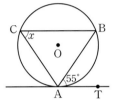

0470

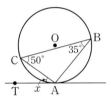

0471

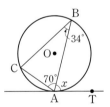

0472

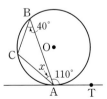

0473

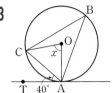

중심각의 크기는 원주각의 크기의 2배!

0474

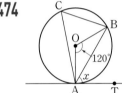

📁 다음 그림에서 직선 AT는 원 O의 접선이고 점 A는 접점이다. $\overline{BC}$가 원 O의 지름일 때, ∠x의 크기를 구하여라.

0475

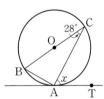

sol ∠CAB = $\boxed{}$°이므로

∠x = ∠ABC

= 180° − (28° + $\boxed{}$°)

= $\boxed{}$°

0476

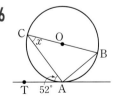

직선 PT가 원 O의 접선이고 점 B는 그 접점일 때

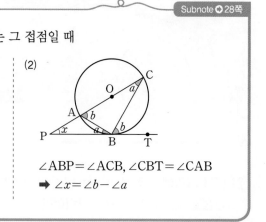

(1)

∠ABP=∠ACB

➡ ∠x=∠a+∠b

(2)

∠ABP=∠ACB, ∠CBT=∠CAB

➡ ∠x=∠b-∠a

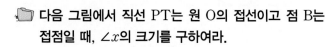

📁 다음 그림에서 직선 PT는 원 O의 접선이고 점 B는 접점일 때, ∠x의 크기를 구하여라.

0477

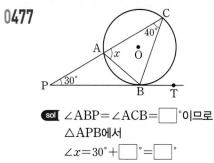

sol ∠ABP=∠ACB=□°이므로
△APB에서
∠x=30°+□°=□°

0478

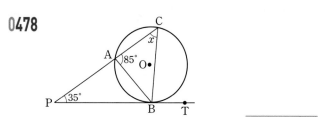

_____

0479

_____

📁 다음 그림에서 직선 PT는 원 O의 접선이고 점 B는 접점이다. $\overline{AC}$가 원의 지름일 때, ∠x의 크기를 구하여라.

0480

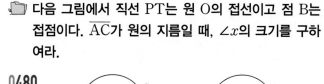

sol $\overline{AB}$를 그으면 ∠ABC=□°
∠CAB=∠CBT=□°이므로
∠ACB=□°
△PBC에서
∠x=□°-□°=□°

0481

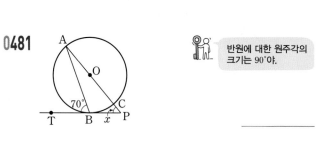

반원에 대한 원주각의 크기는 90°야.

_____

0482

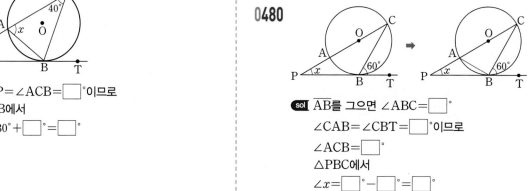

_____

두 원 O, O'의 접점 T에서의 공통인 접선 PQ에 대하여

두 원에서
접선과 현이 이루는
각의 성질을
각각 이용해.

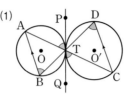

(1)

∠ATP=∠QTC이므로
❶ ∠ABT=∠CDT
❷ $\overline{AB}$∥$\overline{CD}$ (∵ 엇각)

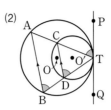

(2)

❶ ∠ABT=∠CDT
❷ $\overline{AB}$∥$\overline{CD}$ (∵ 동위각)

📁 다음 그림에서 직선 PQ가 두 원의 공통인 접선이고 점 T가 접점일 때, 다음을 구하여라.

0483

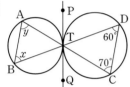

(1) ∠ABT와 크기가 같은 각 (3개)

———————————

(2) ∠x의 크기   ———————————

(3) ∠BAT와 크기가 같은 각 (3개)

———————————

(4) ∠y의 크기   ———————————

0484

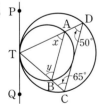

(1) ∠BAT와 크기가 같은 각 (2개)

———————————

(2) ∠x의 크기   ———————————

(3) ∠ABT와 크기가 같은 각 (2개)

———————————

(4) ∠y의 크기   ———————————

📁 다음 그림에서 직선 PQ가 두 원의 공통인 접선이고 점 T가 접점일 때, ∠x의 크기를 구하여라.

0485

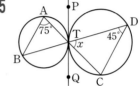

———————————

0486

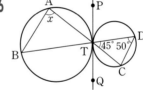

———————————

0487

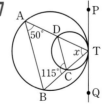

———————————

0488

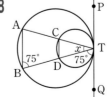

———————————

Mini Review Test

Subnote ➲ 29쪽

핵심 10

0489 오른쪽 그림에서 사각형 ABCD가 원에 내접하고 ∠CBD=35°, ∠BDC=40°일 때, ∠x의 크기는?

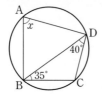

① 60°　　② 65°　　③ 70°

④ 75°　　⑤ 80°

핵심 11

0490 오른쪽 그림에서 □ABCD가 원에 내접할 때, ∠x+∠y의 크기는?

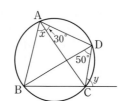

① 110°　　② 120°

③ 130°　　④ 140°

⑤ 150°

핵심 12

0491 다음 그림의 □ABCD 중 원에 내접하지 않는 것은?

①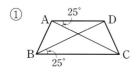

②

③ 　　④

⑤

핵심 13

0492 오른쪽 그림에서 직선 AT는 원 O의 접선이고 점 A는 접점일 때, ∠x, ∠y의 크기를 각각 구하여라.

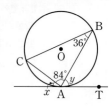

핵심 13

0493 오른쪽 그림에서 직선 AT는 원의 접선이고, 점 A는 접점일 때, ∠x의 크기를 구하여라.

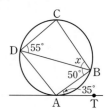

핵심 14 서술형

0494 오른쪽 그림에서 직선 PT는 원 O의 접선이고 점 B는 접점이다. $\overline{AC}$는 원의 지름이고, ∠ABT=65°일 때, ∠x의 크기를 구하여라.

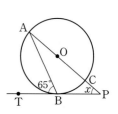

핵심 15

0495 오른쪽 그림에서 $\overleftrightarrow{TT'}$은 두 원의 공통인 접선이고 점 P는 접점이다.
∠PAC=80°,
∠PDB=55°일 때, ∠x의 크기를 구하여라.

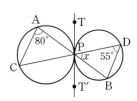

Review

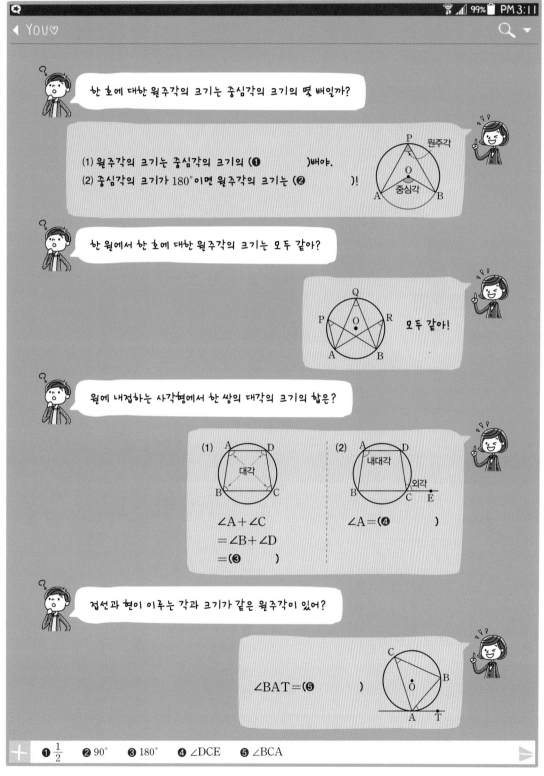

한 호에 대한 원주각의 크기는 중심각의 크기의 몇 배일까?

(1) 원주각의 크기는 중심각의 크기의 (❶)배야.
(2) 중심각의 크기가 $180°$이면 원주각의 크기는 (❷)!

한 원에서 한 호에 대한 원주각의 크기는 모두 같아?

모두 같아!

원에 내접하는 사각형에서 한 쌍의 대각의 크기의 합은?

(1)
$\angle A + \angle C$
$= \angle B + \angle D$
$= (❸)$

(2)
$\angle A = (❹)$

접선과 현이 이루는 각과 크기가 같은 원주각이 있어?

$\angle BAT = (❺)$

❶ $\frac{1}{2}$　❷ $90°$　❸ $180°$　❹ $\angle DCE$　❺ $\angle BCA$

4 통계

5 | 대푯값

5 대푯값

1 대푯값

자료 전체의 중심적인 경향이나 특징을 대표적인 하나의 수로 나타낸 값을 대푯값이라고 한다. 대푯값에는 평균, 중앙값, 최빈값이 있다.

2 평균 핵심 01 02 06

전체 변량의 총합을 변량의 개수로 나눈 값을 평균이라고 한다.

➡ $(평균) = \dfrac{(변량의 총합)}{(변량의 개수)}$

변량 : 자료를 수량으로 나타낸 값

대푯값으로 가장 많이 쓰이는 것이 평균이다.

3 중앙값 핵심 03 04 06

자료의 변량을 크기순으로 나열할 때, 중앙에 있는 값을 중앙값이라고 한다.
① 변량의 개수가 홀수이면 중앙에 있는 값이 중앙값이다.
② 변량의 개수가 짝수이면 중앙에 있는 두 값의 평균이 중앙값이다.

예 변량이 2, 3, 6, 8, 9이면 ➡ (중앙값)=6

변량이 2, 3, 6, 8, 9, 100이면 ➡ $(중앙값) = \dfrac{6+8}{2} = 7$

중앙값을 구할 때에는 반드시 크기순으로 먼저 나열하여야 한다.

$$1, 4, ⑤, 3, 2$$
$$\uparrow$$
중앙값 ✕

$$1, 2, ③, 4, 5$$
$$\uparrow$$
중앙값 ○

4 최빈값 핵심 05 06

자료의 변량 중에서 가장 많이 나타나는 값, 즉 도수가 가장 큰 값을 최빈값이라고 한다.
① 변량 중에서 도수가 가장 큰 값이 한 개 이상 있으면 그 값이 모두 최빈값이다.
② 각 변량의 도수가 모두 같으면 최빈값은 없다.

예 변량이 1, 1, 2, 3, 3, 4이면 ➡ (최빈값)=1, 3

변량이 1, 2, 3, 4, 5이면 ➡ 최빈값은 없다.

참고 표나 그래프에서 대푯값 구하기

(1)
점수(점)	10	20	30	40	합계
학생 수(명)	3	5	7	5	20

➡ $(평균) = \dfrac{10 \times 3 + 20 \times 5 + 30 \times 7 + 40 \times 5}{20} = \dfrac{540}{20} = 27(점)$

$(중앙값) = (10번째와 11번째 학생의 점수의 평균) = \dfrac{30+30}{2} = 30(점)$

$(최빈값) = (학생 수가 가장 많은 점수) = 30점$

(2)
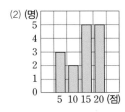

➡ 전체 학생이 3+2+5+5=15(명)이므로

$(평균) = \dfrac{5 \times 3 + 10 \times 2 + 15 \times 5 + 20 \times 5}{15} = \dfrac{210}{15} = 14(점)$

$(중앙값) = (8번째 학생의 점수) = 15점$

$(최빈값) = (가장 긴 막대의 점수) = 15점, 20점$

평균, 중앙값, 최빈값의 이해
(1) 대푯값이 항상 수로 표현되는 것은 아니다.
(2) 평균은 모든 변량을 이용하여 구하므로 극단적인 값의 영향을 받는다.
(3) 극단적인 값이 있는 경우 평균보다 중앙값이 더 적절하다.
(4) 자료마다 평균과 중앙값은 1개씩 정해지지만 최빈값은 없을 수도 있고 2개 이상일 수도 있다.

대푯값에는
평균, 중앙값, 최빈값이 있어.
평균이 대푯값으로
가장 많이 쓰여.

(1) **대푯값** : 자료 전체의 특징을 대표적인 하나의 수로 나타낸 값
(2) **평균** : 전체 변량의 총합을 변량의 개수로 나눈 값

예 변량 2, 3, 5, 6의 평균 구하기

$$(평균)=\frac{(변량의 총합)}{(변량의 개수)}=\frac{2+3+5+6}{4}=\frac{16}{4}=4$$

📁 **다음 자료의 평균을 구하여라.**

0496

$$3, \quad 4, \quad 6, \quad 7$$

sol 변량의 개수는 ☐, 변량의 총합은 ☐이므로

$$(평균)=\frac{\boxed{}}{\boxed{}}=\boxed{}$$

0497

$$2, \quad 3, \quad 6, \quad 4, \quad 10$$

0498

$$8, \quad 3, \quad 1, \quad 2, \quad 6, \quad 4$$

0499

$$9, \quad 3, \quad 5, \quad 2, \quad 10, \quad 12, \quad 15$$

0500

$$12, \quad 6, \quad 14, \quad 9, \quad 11, \quad 3, \quad 12, \quad 13$$

📁 **주어진 표를 보고, 자료의 평균을 구하여라.**

0501

점수(점)	5	6	8	10	합계
도수(명)	2	3	4	1	10

 sol $(평균)=\dfrac{5\times 2+6\times\boxed{}+8\times\boxed{}+10\times\boxed{}}{\boxed{}}$

$$=\frac{\boxed{}}{\boxed{}}=\boxed{}(점)$$

0502

점수(점)	10	20	30	40	합계
도수(명)	3	5	5	3	16

0503

	학생 수(명)	평균(점)
남학생	4	70
여학생	6	75

 70점이 4명, 75점이 6명 있다고 생각하면 돼.

0504 학교 시험 맛보기

다음은 예서네 반 학생 20명이 한 달 동안 읽은 책의 수를 조사하여 나타낸 표이다. 읽은 책의 수의 평균을 구하여라.

책 수(권)	1	2	3	4	5	합계
도수(명)	4	7	5	3	1	20

5

대푯값

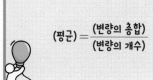

$$(평균) = \frac{(변량의\ 총합)}{(변량의\ 개수)}$$

변량 $2, 3, 5, x$의 평균이 4일 때, x의 값 구하기

❶ 평균을 구하는 식을 세운다. ➡ $\dfrac{2+3+5+x}{4}=4$

❷ x의 값을 구한다. ➡ $10+x=16$ ∴ $x=6$

참고 변량 a개의 평균이 b이면 총합은 ab이다.

📁 [ ] 안의 수가 주어진 자료의 평균일 때, x의 값을 구하여라.

0505 [12]
$$7,\quad 10,\quad 12,\quad x,\quad 6$$

sol (평균)$= \dfrac{7+10+12+x+6}{\boxed{}} = \boxed{}$이므로

$35+x=\boxed{}$ ∴ $x=\boxed{}$

0506 [10]
$$x,\quad 8,\quad 12,\quad 5,\quad 16$$

_____

0507 [15]
$$7,\quad 19,\quad x,\quad 10,\quad 20,\quad 14$$

_____

0508 [8]
$$10,\quad 5,\quad 4,\quad x,\quad 2,\quad 6,\quad 9$$

_____

0509 [30]
$$20,\quad 26,\quad 28,\quad x,\quad 33,\quad 36,\quad 2x,\quad 40$$

_____

📁 다음을 구하여라.

0510 두 변량 a, b의 합이 4일 때,
2, a, b의 평균

sol $a+b=4$이므로

(평균)$= \dfrac{2+a+b}{3} = \dfrac{2+\boxed{}}{3} = \dfrac{\boxed{}}{3} = \boxed{}$

0511 세 변량 x, y, z의 합이 15일 때,
2, x, y, z, 3의 평균

_____

0512 두 변량 a, b의 평균이 4일 때,
10, a, b, 6의 평균

 $\dfrac{a+b}{2}=4$

_____

0513 세 변량 x, y, z의 평균이 6일 때,
$x+2, y+2, z+2$의 평균

_____

0514 학교 시험 맛보기

세 변량 a, b, c의 평균이 10일 때, 다음 자료의 평균을 구하여라.

$$a,\quad b,\quad c,\quad 9,\quad 16$$

_____

중앙값
➡ 한가운데 값
중앙값은 반드시 크기순으로
나열한 다음 구해!

중앙값 : 각 변량을 크기순으로 나열할 때, 중앙에 있는 값
① 변량의 개수가 **홀수**이면 중앙에 있는 값이 중앙값이다. ← 변량이 n개이면 $\dfrac{n+1}{2}$번째 변량
② 변량의 개수가 **짝수**이면 중앙에 있는 두 값의 평균이 중앙값이다. ← $\dfrac{n}{2}$번째와 $\left(\dfrac{n}{2}+1\right)$번째 변량의 평균

2, 3, ⑥, 8, 9

(중앙값)=6

2, 3, ⑥, 8, 9, 10

(중앙값)=$\dfrac{6+8}{2}$=7

📁 **다음 자료의 중앙값을 구하여라.**

0515
| 21, 5, 12, 24, 8 |

sol 작은 값부터 크기순으로 나열하면
☐, ☐, ☐, ☐, ☐
이때 중앙값은 3번째 값인 ☐이다.

0516
| 10, 2, 3, 5, 6 |

 먼저 크기순으로!! _____

0517
| 14, 17, 18, 20, 24, 12, 8 |

_____

0518
| 8, 3, 2, 4, 5, 9, 11, 13, 5 |

 변량이 9개이니까
$\dfrac{9+1}{2}$=5(번째) 값! _____

0519
| 7, 10, 3, 8, 4, 10, 5, 15, 11 |

_____

📁 **다음 자료의 중앙값을 구하여라.**

0520
| 20, 50, 40, 30 |

sol 작은 값부터 크기순으로 나열하면
☐, ☐, ☐, ☐
이때 중앙값은 2번째와 3번째 값의 평균인 ☐이다.

0521
| 8, 12, 14, 100 |

_____

0522
| 8, 4, 2, 6, 3, 10 |

_____

0523
| 2, 9, 15, 18, 29, 10, 14, 15 |

_____

0524 학교 시험 맛보기

오른쪽은 어느 구단 선수 9명이 안타를 친 횟수를 조사하여 나타낸 줄기와 잎 그림이다. 안타를 친 횟수의 중앙값을 구하여라.

(0|6은 6회)
줄기	잎
0	6 7
1	2 6 8
2	2 7 9
3	8

_____

변량의 개수가 홀수일 때와
짝수일 때의 중앙값 구하는
방법을 떠올려 봐~

크기순으로 나열된 다음 자료에서 중앙값이 4일 때, x의 값 구하기

2, 3, x, 7, 9

x의 값이 중앙값

∴ $x=4$

2, 3, x, 7

3과 x의 평균이 중앙값

$\dfrac{3+x}{2}=4$ ∴ $x=5$

 다음은 변량을 작은 값부터 크기순으로 나열한 것이다. [ ] 안의 수가 자료의 중앙값일 때, x의 값을 구하여라.

0525 [26]   22, 24, x, 28, 35

sol 변량의 개수가 홀수이므로 중앙값은 중앙에 있는 x의 값과 같다.   ∴ $x=\Box$

0526 [11]   9, 10, x, 20

sol 변량의 개수가 짝수이므로

(중앙값)$=\dfrac{\Box+x}{2}=11$ ∴ $x=\Box$

0527 [6.5]   3, 6, x, 7, 7, 8

_____

0528 [25]   15, 16, 18, 20, x, 39, 56, 100

_____

0529 [18]   2, 3, 3, 17, x, 50, 52, 60

_____

다음은 변량을 작은 값부터 크기순으로 나열한 것이다. 이 자료의 평균과 중앙값이 같을 때, x의 값을 구하여라.

0530   8, 12, 15, 18, x

sol 중앙값이 $\Box$이므로 평균도 $\Box$이다.

(평균)$=\dfrac{8+12+15+18+x}{\Box}=\Box$이므로

$53+x=\Box$ ∴ $x=\Box$

0531   2, 6, 10, 12, x

_____

0532   15, 16, 18, x

중앙값은 2, 3번째 값의 평균!

_____

0533   9, 11, 12, 16, x, 20

0534 학교 시험 맛보기

크기순으로 나열된 6개의 변량 20, 20, 40, 50, x, 80
의 평균과 중앙값이 같을 때, x의 값을 구하여라.

_____

05 대푯값 – 최빈값

핵심

Subnote ◯ 31쪽

최빈값 : 자료의 변량 중에서 가장 많이 나타나는 값, 즉 도수가 가장 큰 값
① 변량 중에서 도수가 가장 큰 값이 한 개 이상 있으면 그 값이 모두 최빈값이다.
　　　　　　　　　　　　　　　　　　　　　　　　　여러 개 나올 수도 있다.
② 각 변량의 도수가 모두 같으면 최빈값은 없다.

최빈값
➡ 가장 많이 나타나는 값
최빈값은 1개가 아닐 수도 있어~!

1, ②, ②, 3	①, ①, 2, 2, 3	2, 3, 5, 7
(최빈값)=2	(최빈값)=1, 2	최빈값은 없다.

📁 **다음 자료의 최빈값을 구하여라.**

0535
2,　4,　3,　1,　1,　5,　7

sol 가장 많이 나타나는 값은 ▢이므로
최빈값은 ▢이다.

0536
20,　25,　30,　30,　30,　35,　40

_____

0537
3,　4,　5,　6,　3,　4,　5,　6,　6

_____

0538

브랜드	A	B	C	D	합계
판매 개수(개)	4	8	7	1	20

가장 많이 팔린 브랜드가
최빈값이야.

_____

0539
농구, 축구, 야구, 탁구, 배구, 야구 축구, 야구, 농구, 야구, 배구, 탁구

_____

📁 **다음 자료의 최빈값을 구하여라.**

0540
1,　2,　2,　3,　3,　4

sol 가장 많이 나타나는 값은 ▢와 ▢이므로
최빈값은 ▢, ▢이다.

0541
1,　2,　3,　4,　5

sol 각 변량의 도수가 모두 같으므로 최빈값은 ▢.

0542
3,　4,　5,　3,　4,　5,　3,　4

_____

0543
2,　4,　8,　2,　4,　8,　9

_____

0544 학교 시험 맛보기

다음 8개의 변량의 최빈값은 2개이다. 이때 ▢ 안에 알맞은 수를 구하여라.

2,　3,　4,　4,　5,　5,　5,　▢

key 최빈값 중 하나는 5이다.

_____

5

대푯값

평균, 중앙값, 최빈값
구하는 방법을 잘 기억해!

평균	$\dfrac{(\text{변량의 총합})}{(\text{변량의 개수})}$	❶ 평균은 자료 전체를 이용하여 구한다.
중앙값	한가운데 값 변량의 개수가 홀수, 짝수인 경우로 나누 어 생각	❷ 평균은 극단적인 값에 영향을 받는다. ❸ 매우 크거나 매우 작은 값이 있는 경우에 는 대푯값으로 중앙값이 적당하다. ❹ 좋아하는 과일과 같이 숫자로 나타낼 수 없 는 자료도 대푯값을 나타낼 수 있다. (최빈값)
최빈값	가장 많은 것	

📁 **다음 물음에 답하여라.**

0545 다음 자료는 은이의 일주일 동안의 이메일 수신
횟수를 나타낸 것이다. 이메일 수신 횟수의 평균과
최빈값이 서로 같다고 할 때, x의 값을 구하여라.

(단위 : 회)

$$8, \quad 12, \quad 12, \quad 15, \quad x, \quad 12, \quad 14$$

sol 최빈값이 □회이므로 평균도 □회이다.

$(\text{평균}) = \dfrac{8+12+12+15+x+12+14}{\square} = \square$ 이므로

$73 + x = \square$ ∴ $x = \square$

 x의 값에 상관없이 최빈값을
구할 수 있어!

0546 다음 자료는 어느 중학교 학생 7명의 한 달 동안
유튜브 시청 시간을 조사하여 나타낸 것이다. 시
청 시간의 평균과 최빈값이 서로 같다고 할 때, x
의 값을 구하여라.

(단위 : 시간)

$$24, \quad 25, \quad 26, \quad 25, \quad 28, \quad x, \quad 25$$

📁 **대푯값에 대한 설명으로 옳은 것에는 ○표, 옳지 않은
것에는 ×표를 하여라.**

0547 대푯값 중에서 가장 많이 쓰이는 것은 최빈값이
다. (   )

0548 중앙값은 항상 1개만 나온다. (   )

0549 평균은 자료 전체를 이용하여 구한다. (   )

0550 중앙값은 항상 자료에 있는 변량과 일치한다.

(   )

0551 매우 크거나 매우 작은 값이 있는 경우 대푯값으
로 평균이 가장 적절하다. (   )

0552 평균과 중앙값은 반드시 구해지지만 최빈값은 없
을 수도 있다. (   )

0553 학교 시험 맛보기 ✏️

다음 자료의 평균과 최빈값이 서로 같다고 할 때, x의
값을 구하여라.

$$10, \quad x, \quad 9, \quad 9, \quad 9, \quad 5, \quad 7$$

핵심 01~06

Mini Review Test

날짜 : 월 일

Subnote 31쪽

핵심 01

0554 다음 자료의 평균을 구하여라.

7, 13, 11, 14, 12, 15

핵심 02

0555 3개의 변량 a, b, c의 평균이 12일 때, 5개의 변량 11, a, b, c, 13의 평균은?

① 10 ② 11 ③ 12
④ 13 ⑤ 14

핵심 02

0556 영재가 3회에 걸쳐 본 수학 시험 점수의 평균이 88점이었다. 4회까지의 평균이 90점이 되려면 4회째 시험에서는 몇 점을 받아야 하는가?

① 90점 ② 92점 ③ 94점
④ 96점 ⑤ 98점

핵심 03

0557 오른쪽 그림은 학생 10명의 팔굽혀펴기 횟수를 조사하여 나타낸 줄기와 잎 그림이다. 학생들의 팔굽혀펴기 횟수의 중앙값을 구하여라.

(0|7은 7회)

줄기	잎
0	7 8
1	2 4 8
2	2 5 8
3	0 1

핵심 04 서술형

0558 다음은 변량을 작은 값부터 크기순으로 나열한 것이다. 이 자료의 평균과 중앙값이 같을 때, x의 값을 구하여라.

x, 15, 16, 20, 21, 30

핵심 03 05

0559 다음 자료의 중앙값과 최빈값의 합을 구하여라.

20, 12, 12, 6, 13, 30

핵심 06

0560 다음 표는 어느 중학교 학생 8명이 받은 영어 말하기 점수를 조사하여 나타낸 것이다. 점수의 평균과 최빈값이 서로 같을 때, x의 값을 구하여라.

(단위 : 점)

8, x, 3, 6, 8, 10, 8, 12

핵심 06

0561 다음 중 옳지 않은 것을 모두 고르면? (정답 2개)

① 평균은 극단적인 값에 영향을 많이 받는다.
② 평균, 중앙값, 최빈값이 모두 같을 수 있다.
③ 변량의 개수가 짝수이면 중앙값은 구할 수 없다.
④ 대푯값 중에서 평균이 가장 많이 쓰인다.
⑤ 평균은 자료의 일부만을 이용하여 구한다.

Review

대푯값에는 어떤 것이 있어?

평균, (❶   ), 최빈값이 있어.

평균은 어떻게 구해?

변량의 총합을 변량의 (❷   )로 나누면 돼.

중앙값은 어떻게 구해?

변량을 먼저 크기순으로 나열해야 해.
홀수 개 ➡ 가운데 위치한 값
짝수 개 ➡ 가운데 위치한 두 값의 (❸   )

최빈값은 어떻게 구해?

자료의 변량 중에서 가장 많이 나타나는 값을 찾아.
최빈값은 없을 수도 있고, 2개 이상일 수도 있어.
[예] 1, 1, 2, 2, 2 ➡ 최빈값은 (❹   )
    1, 2, 3, 4 ➡ 최빈값은 없다.

극단적인 값에 영향을 가장 많이 받는 대푯값은?

자료 전체를 이용하여 구하는 (❺   )이야.

❶ 중앙값　❷ 개수　❸ 평균　❹ 2　❺ 평균

6 | 산포도

스스로
공부 계획
세우기

6. 산포도

6 산포도

개념 NOTE

1 산포도 핵심 01 02

(1) **산포도** : 대푯값을 중심으로 자료가 흩어져 있는 정도를 하나의 수로 나타낸 값을 산포도라고 한다.

① 산포도가 클수록 자료들이 대푯값으로부터 멀리 흩어져 있다.

② 산포도가 작을수록 자료들이 대푯값 주위에 밀집되어 있다.

(2) **편차** : 어떤 자료의 변량에서 평균을 뺀 값을 편차라고 한다.

$$(편차) = (변량) - (평균)$$

① 편차의 총합은 항상 0이다.

② 평균보다 큰 변량의 편차는 양수이다.

③ 평균보다 작은 변량의 편차는 음수이다.

④ 편차의 절댓값이 클수록 그 변량은 평균에서 멀리 떨어져 있다.

> 산포도에는 분산, 표준편차가 있다.

> 자료의 전체적인 경향을 알아보기 위하여 평균, 중앙값, 최빈값 등의 대푯값을 이용하지만 대푯값만으로 자료의 흩어진 정도를 알 수 없다. 따라서 자료의 흩어진 정도를 파악하기 위하여 산포도를 이용한다.

2 분산과 표준편차 핵심 03 04

(1) **분산** : 각 편차의 제곱의 합을 전체 변량의 개수로 나눈 값 즉, 편차의 제곱의 평균을 분산이라고 한다.

(2) **표준편차** : 분산의 음이 아닌 제곱근을 표준편차라고 한다.

$$(분산) = \frac{\{(편차)^2 의\ 총합\}}{(변량의\ 개수)}$$

$$(표준편차) = \sqrt{(분산)}$$

> 표준편차의 단위는 변량의 단위와 같고, 분산의 단위는 없다.

> 표준편차가 0이면 모든 변량이 평균과 같은 경우이다.

예 다음 자료의 분산과 표준편차를 구하여라.

$$10,\ 15,\ 20,\ 20,\ 25$$

평균 구하기 ➡ $\dfrac{10+15+20+20+25}{5} = \dfrac{90}{5} = 18$

편차 구하기 ➡ $-8,\ -3,\ 2,\ 2,\ 7$

$(편차)^2$ 구하기 ➡ $64,\ 9,\ 4,\ 4,\ 49$ } 제곱

분산 구하기 ➡ $\dfrac{64+9+4+4+49}{5} = \dfrac{130}{5} = 26$ } 평균

표준편차 구하기 ➡ $\sqrt{26}$ } 제곱근

3 자료의 분포 핵심 05 06

분산과 표준편차가 작을수록 변량들이 평균 가까이에 분포해 있다.

➡ 분산과 표준편차가 작을수록 자료의 분포 상태가 '고르다'고 한다.

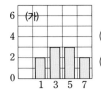

(평균)=4
(분산)=$\dfrac{21}{5}$

(평균)=4
(분산)=$\dfrac{9}{5}$

(가)보다 (나)의 분포 상태가 더 고르다.

01 편차 (1)

평균을 구해야
편차를 알 수 있어.

(1) 편차 : 어떤 자료의 변량에서 평균을 뺀 값

$$(편차)=(변량)-(평균)$$

(2) 변량과 편차

① 변량이 평균보다 크면 편차는 양수이다.

② 변량이 평균과 같으면 편차는 0이다.

③ 변량이 평균보다 작으면 편차는 음수이다.

📁 [ ] 안의 수가 주어진 자료의 평균일 때, 각 변량의 편차를 구하여라.

0562 [10]

변량	12	8	7	13
편차				

sol (편차)=(　)-(　)이므로

편차를 차례로 구하면 2, 　, -3, 　

0563 [20]

변량	18	20	21	21
편차				

0564 [9]

변량	8	13	7	8
편차				

0565 [14]

변량	9	16	17	14
편차				

0566 [12.5]

변량	12	13.5	11.5	13
편차				

📁 다음 자료의 각 변량의 편차를 구하여라.

0567

변량	5	10	15	20	25
편차					

sol (평균)=$\dfrac{5+10+15+20+25}{5}$=□

편차를 차례로 구하면 -10, □, 0, 5, □

0568

변량	62	64	66	68	70
편차					

평균을 먼저
구해야 해!

0569

변량	8	6	12	9	10
편차					

0570

변량	36	46	62	76	80
편차					

0571 학교 시험 맛보기

다음 자료의 각 변량의 편차를 구할 때, 두 편차 a, b의 합을 구하여라.

변량	40	50	80	90	90
편차	a			b	

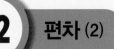

편차 : 어떤 자료의 변량에서 평균을 뺀 값

편차의 총합이 0임을
꼭 기억해!

(편차)=(변량)−(평균)

① 편차의 총합은 항상 0이다.
② 편차가 양수이면 (변량)>(평균)이다.
③ 편차가 음수이면 (변량)<(평균)이다.

📁 어느 자료의 각 변량의 편차가 다음과 같을 때, x의 값을 구하여라.

0572
$$2, \quad -1, \quad x, \quad -3$$

sol 편차의 총합이 ☐이므로

$2+(-1)+x+(-3)=$☐ $\therefore x=$☐

0573
$$x, \quad 2, \quad -4, \quad 1, \quad -2$$

0574
$$3, \quad x, \quad 1, \quad -8, \quad 3$$

0575
$$0, \quad -1, \quad 5, \quad -3, \quad x$$

0576
$$2x, \quad 0, \quad x, \quad -1, \quad -2$$

📁 다음 표는 5개의 변량과 그 편차를 조사하여 나타낸 것이다. x, y에 알맞은 수를 각각 구하여라.

0577

변량	43	40	x	38	47
편차	2	−1	y	−3	6

sol 편차의 합이 0이므로 $y=$☐

$43-$(평균)$=2$에서 (평균)$=$☐이므로

$x=$(평균)$+y=$☐$+($☐$)=$☐

0578

변량	x	35	37	38	41
편차	y	−3	−1	0	3

0579

변량	67	x	81	72	70
편차	−5	y	9	0	−2

0580

변량	10	18	11	x	16
편차	−4	4	−3	y	2

0581 학교 시험 맛보기

다음 표는 현희네 반 학생 5명의 점수와 각각의 편차를 조사하여 나타낸 것이다. $x+y+z$의 값을 구하여라.

점수(점)	60	54	x	60	z
편차(점)	2	−4	y	2	3

03 분산과 표준편차 (1)

편차를 알아야
분산을 구할 수 있어!

(1) 분산 : 편차의 제곱의 평균
(2) 표준편차 : 분산의 음이 아닌 제곱근

$$(분산)=\frac{\{(편차)^2의\ 총합\}}{(변량의\ 개수)}$$

표준편차의 단위는
변량의 단위와 같고,
분산의 단위는 없다.

$$(표준편차)=\sqrt{(분산)}$$

📁 어느 자료의 각 변량의 편차가 다음과 같을 때, 분산과 표준편차를 각각 구하여라.

0582

$$7,\quad 10,\quad -11,\quad -7,\quad 1$$

sol 편차를 제곱하면 49, 100, ☐, ☐, 1

$$(분산)=\frac{49+100+☐+☐+1}{5}=\frac{☐}{5}=☐$$

$$(표준편차)=\sqrt{☐}=☐$$

0583

$$-2,\quad -1,\quad 2,\quad 0,\quad 1$$

분산 : _____, 표준편차 : _____

0584

$$0,\quad -1,\quad 2,\quad -4,\quad 3$$

분산 : _____, 표준편차 : _____

0585

$$4,\quad -5,\quad 0,\quad -3,\quad 1,\quad 3$$

분산 : _____, 표준편차 : _____

0586

$$-2,\quad -3,\quad 1,\quad 1,\quad -2,\quad 2,\quad 0,\quad 3$$

분산 : _____, 표준편차 : _____

📁 어느 자료의 각 변량의 편차가 다음과 같을 때, 분산과 표준편차를 각각 구하여라.

0587

$$4,\quad -3,\quad 1,\quad x,\quad -2$$

sol 편차의 총합이 0이므로 $x=$☐

$$(분산)=\frac{16+9+☐+☐+4}{5}=\frac{☐}{5}=☐$$

$$(표준편차)=\sqrt{☐}$$

0588

$$-5,\quad 4,\quad x,\quad 1,\quad -2$$

분산 : _____, 표준편차 : _____

0589

$$-3,\quad 3,\quad x,\quad 5,\quad 1$$

분산 : _____, 표준편차 : _____

0590

$$x,\quad 4,\quad 2x,\quad 5,\quad -3$$

분산 : _____, 표준편차 : _____

0591 학교 시험 맛보기

오른쪽은 윤주의 6회에 걸친 줄넘기 횟수의 편차를 조사하여 나타낸 것이다. 줄넘기 횟수의 표준편차를 구하여라.

(단위 : 회)

$$\begin{array}{ccc} -5, & 3, & x \\ 0, & 0, & 4 \end{array}$$

_____

6

산포도

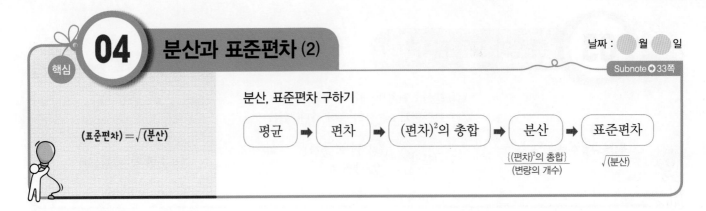

(표준편차) = $\sqrt{(분산)}$

분산, 표준편차 구하기

평균 ➡ 편차 ➡ (편차)²의 총합 ➡ 분산 ➡ 표준편차

$\dfrac{\{(편차)^2의\ 총합\}}{(변량의\ 개수)}$ $\sqrt{(분산)}$

📁 다음 자료의 표준편차를 구하여라.

0592

13, 17, 13, 17

sol (평균) $= \dfrac{13+17+13+17}{4} = \dfrac{\boxed{}}{4} = \boxed{}$ 이므로

편차를 차례대로 나열하면 $\boxed{}, \boxed{}, \boxed{}, \boxed{}$

(분산) $= \dfrac{4+4+\boxed{}+\boxed{}}{4} = \dfrac{\boxed{}}{4} = \boxed{}$ 이므로

(표준편차) $= \sqrt{\boxed{}} = \boxed{}$

0593

31, 23, 27, 29, 30

0594

12, 14, 18, 16, 15

0595

$a-1, \quad a, \quad a+1$

sol (평균) $= \dfrac{(a-1)+a+(a+1)}{3} = \boxed{}$ 이므로

편차를 차례대로 나열하면 $\boxed{}, \boxed{}, \boxed{}$

(분산) $= \dfrac{1+\boxed{}+\boxed{}}{3} = \boxed{}$ 이므로

(표준편차) $= \sqrt{\boxed{}} = \boxed{}$

0596

$a-4, \quad a-2, \quad a+2, \quad a+4$

📁 다음 자료의 평균이 [ ] 안의 수와 같을 때, 이 자료의 표준편차를 구하여라.

0597 [8]

5, 2, x, 11, 13

sol (평균) $= \dfrac{5+2+x+11+13}{5} = \boxed{}$ 이므로 $x = \boxed{}$

(분산) $= \dfrac{(-3)^2+(-\boxed{})^2+1^2+3^2+\boxed{}^2}{\boxed{}} = \boxed{}$

∴ (표준편차) $= \sqrt{\boxed{}} = \boxed{}$

0598 [8]

4, 13, 7, 5, x

0599 [7]

8, 11, x, 5, 2

0600 [22]

32, 28, 16, x, 24

0601 학교 시험 맛보기

다음은 준서의 6회에 걸친 턱걸이 횟수를 조사하여 나타낸 것이다. 턱걸이 횟수의 평균이 12회일 때, 표준편차를 구하여라.

(단위 : 회)

15, 12, 9, x, 11, 11

변량이 평균 가까이에 많이 분포할수록 표준편차가 작아져.

표준편차가 작을수록
➡ 변량들이 평균 가까이에 모여 있다.
➡ 변량 간의 격차가 작다.
➡ 자료의 분포 상태가 고르다.

반	A	B
평균(점)	10	10
표준편차(점)	2	3

➡ A반의 표준편차가 더 작으므로 A반이 B반보다 점수가 더 고르다.

📁 다음 표는 A, B, C, D 네 반에 대하여 수행평가 점수의 평균과 표준편차를 조사하여 나타낸 것이다. 성적이 가장 고른 반을 말하여라.

0602

반	A	B	C	D
평균(점)	13	13	13	13
표준편차(점)	4	3.5	2	5

sol 표준편차가 □수록 성적이 고르므로
성적이 가장 고른 반은 □반이다.

0603

반	A	B	C	D
평균(점)	60	60	60	60
표준편차(점)	1.5	1	2	1.8

_____

0604

반	A	B	C	D
평균(점)	15	15	15	15
표준편차(점)	2	$2\sqrt{2}$	$3\sqrt{2}$	4

_____

0605

반	A	B	C	D
평균(점)	65	65	68	68
표준편차(점)	$\sqrt{5}$	$\sqrt{7}$	2	$\sqrt{3}$

_____

📁 다음 표는 A, B, C, D, E 다섯 반에 대하여 수학 점수의 평균과 표준편차를 조사하여 나타낸 것이다. 표를 보고, 옳은 것에 ○표, 틀린 것에 ×표 하여라.

반	A	B	C	D	E
평균(점)	60	60	70	70	70
표준편차(점)	4	6	5	7	6

0606 A, B, C반 중 C반의 성적이 가장 우수하다.

(   )

0607 C, D 두 반의 성적의 산포도는 같다.

(   )

0608 E반에 성적이 가장 높은 학생이 있다.

(   )

0609 C, D, E반 중 D반의 성적이 가장 우수하다.

(   )

0610 B반에 비해 A반의 성적이 더 고르다.

(   )

0611 C, D, E반 중 성적이 가장 고른 반은 C반이다.

(   )

6

산포도

06 자료의 분석 (2)

핵심

변량이 평균 가까이에 모여 있을수록

➡ 표준편차가 더 작고

➡ 분포가 더 고르다.

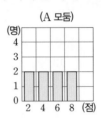
(평균)=4
(분산)=$\frac{21}{5}$

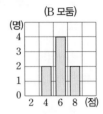
(평균)=4
(분산)=$\frac{9}{5}$

➡ 자료 (나)의 산포도가 더 작으므로 자료 (나)의 분포가 더 고르다.

📂 **다음 주어진 자료를 보고, 물음에 답하여라.**

0612 다음은 A, B 두 학생의 6회에 걸친 미술 수행평가 점수를 나열한 것이다.

(단위 : 점)

A	1, 3, 1, 3, 1, 3
B	1, 2, 3, 1, 2, 3

(1) 두 학생의 미술 수행평가 점수의 평균을 각각 구하여라.

A : _____ , B : _____

(2) 두 학생의 미술 수행평가 점수의 분산을 각각 구하여라.

A : _____ , B : _____

(3) 두 학생 중 미술 수행평가 점수의 분포가 더 고른 학생을 말하여라. _____

0613 다음은 A, B, C 세 학생의 5회에 걸친 활쏘기 점수를 나열한 것이다.

(단위 : 점)

A	4, 5, 8, 8, 10
B	3, 4, 8, 9, 11
C	6, 7, 7, 7, 8

(1) 세 학생의 활쏘기 점수의 평균을 각각 구하여라.

A : _____ , B : _____ , C : _____

(2) 세 학생의 활쏘기 점수의 분산을 각각 구하여라.

A : _____ , B : _____ , C : _____

(3) 세 학생 중 활쏘기 점수의 분포가 가장 고른 학생을 말하여라. _____

0614 다음은 A, B 두 모둠의 영어 수행평가 점수를 조사하여 나타낸 막대그래프이다.

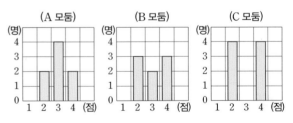

(1) 두 모둠의 영어 수행평가 점수의 평균을 각각 구하여라.

A : _____ , B : _____

(2) 두 모둠의 영어 수행평가 점수의 분산을 각각 구하여라.

A : _____ , B : _____

(3) 두 모둠 중 영어 수행평가 점수의 분포가 더 고른 모둠을 말하여라. _____

0615 다음은 A, B, C 세 모둠의 영어 말하기 점수를 조사하여 나타낸 막대그래프이다.

(1) 세 모둠의 영어 말하기 점수의 평균을 각각 구하여라.

A : _____ , B : _____ , C : _____

(2) 세 모둠 중 영어 말하기 점수의 분포가 가장 고른 모둠을 말하여라. _____

핵심 01

0616 다음 표는 윤지네 모둠 4명의 줄넘기 횟수를 조사하여 나타낸 것이다. 윤지의 줄넘기 횟수의 편차는?

학생	승우	수윤	윤지	진운
횟수(회)	81	85	88	86

① −3회   ② −1회   ③ 0회
④ 1회   ⑤ 3회

핵심 02

0617 아래 표는 현수네 반 학생 5명이 한 달 동안 읽은 책의 수에 대한 편차를 나타낸 것이다. 평균이 10권일 때, 다음 중 옳지 않은 것은?

학생	현수	민지	예진	은서	채영
편차(권)	2	x	7	−4	2

① 예진이가 가장 많이 읽었다.
② 은서는 6권을 읽었다.
③ 채영이가 읽은 책의 수가 중앙값이다.
④ 민지의 편차는 −3권이다.
⑤ 평균보다 적게 읽은 학생은 2명이다.

핵심 03

0618 다음은 7개의 변량의 편차를 나타낸 것이다. 분산을 구하여라.

$$-4, \ -5, \ 0, \ 4, \ 5, \ 1, \ -1$$

핵심 04 서술형

0619 다음 자료의 평균이 10일 때, 이 자료의 표준편차를 구하여라.

$$14, \ 8, \ x, \ 11, \ 9$$

핵심 05

0620 다음 표는 5개 반의 2학기 중간고사 수학 성적에 대한 평균과 표준편차를 나타낸 것이다. 이 자료에 대한 설명으로 옳은 것은?

학급	A	B	C	D	E
평균(점)	60	65	64	62	70
표준편차(점)	5.2	4.9	5.1	4.7	4.2

① B반의 성적이 가장 우수하다.
② D반의 성적의 산포도가 가장 크다.
③ A반은 성적이 가장 낮지만 가장 고르다.
④ 성적이 가장 고른 반은 E반이다.
⑤ E반에 60점 미만인 학생이 가장 많다.

핵심 06

0621 다음은 A, B, C 세 학생의 5일 동안 TV 시청 시간을 조사하여 나열한 것이다. TV 시청 시간의 분포가 가장 고른 학생을 말하여라.

(단위 : 시간)

A	1, 1, 1, 3, 4
B	1, 2, 3, 4, 5
C	2, 4, 6, 8, 10

Review

◀ YOU♡

편차란?

(편차)=(변량)−(❶   )
편차의 총합은 항상 (❷   )이야.

분산은 어떻게 구해?

$$(분산)=\frac{\{(❸ \quad\quad)^2의\ 총합\}}{(변량의\ 개수)}$$

표준편차란?

(❹   )의 음이 아닌 제곱근이 표준편차야.
$(표준편차)=\sqrt{(❹ \quad\quad)}$

표준편차로 자료의 분포는 어떻게 비교해?

표준편차가 작을수록 변량들이 평균 가까이에 모여 있어.
그래서 표준편차가 작을수록 자료의 분포가 (❺   )고 해.

❶ 평균   ❷ 0   ❸ 편차   ❹ 분산   ❺ 고르다

7 산점도와 상관관계

스스로
공부 계획
세우기

7.
산점도와
상관관계

1 산점도 핵심 01 ~ 04

산점도란 주어진 자료의 두 변량 x, y를 순서쌍으로 하는 점 (x, y)를 좌표평면 위에 나타낸 그래프이다.

➡ 국어 점수를 x, 수학 점수를 y라 하여 다음 자료를 산점도로 나타내면 오른쪽과 같다.

국어(점)	50	60	70	80	70	80	90
수학(점)	80	70	70	90	60	50	70

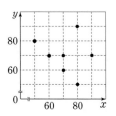

2 상관관계 핵심 05 06 07

(1) 두 변량 x, y 사이에 x의 값이 증가함에 따라 y의 값이 증가하거나 감소하는 경향이 있을 때, 두 변량 x, y 사이에 상관관계가 있다고 한다.

(2) 상관관계의 종류

① 양의 상관관계 : x의 값이 증가함에 따라 y의 값도 대체로 증가하는 관계

① 강한 경우　② 약한 경우

- 기울기가 양인 직선의 주위에 점들이 모여 있다.
- 강한 양의 상관관계일수록 점들이 직선 가까이에 모여 있다.

양의 상관관계의 예
- 전기 사용량과 전기 요금
- 도시의 인구 수와 학교 수

② 음의 상관관계 : x의 값이 증가함에 따라 y의 값은 대체로 감소하는 관계

① 강한 경우　② 약한 경우

- 기울기가 음인 직선의 주위에 점들이 모여 있다.
- 강한 음의 상관관계일수록 점들이 직선 가까이에 모여 있다.

음의 상관관계의 예
- 겨울철 기온과 난방비
- 물건의 가격과 판매량

참고 양의 상관관계, 음의 상관관계일 때 상관관계가 있다고 한다.

③ 상관관계가 없다. : 점들이 불규칙하게 흩어져 있거나 x축, y축에 평행하게 분포하는 경우

- 점들이 원 모양으로 모여 있거나 좌표축에 평행한 직선 주위에 모여 있다.

상관관계가 없는 예
- 성적과 발의 크기
- 눈의 크기와 시력

좌표평면에
점을 찍는 것!

산점도 : 두 변량 x, y를 순서쌍으로 하는 점 (x, y)를 좌표평면 위에 점으로 나타낸 그래프

예 국어 점수를 x, 수학 점수를 y라 하면

(국어 80점, 수학 60점) ➡ $(80, 60)$ ➡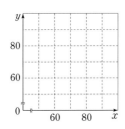

📁 **두 변량 x, y에 대한 산점도를 좌표평면 위에 나타내어라.**

0622

x	60	70	70	80	90
y	80	60	70	60	70

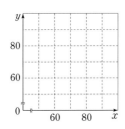

🔑 순서쌍으로 나타내면 $(60, 80)$, $(70, 60)$, $(70, 70)$, $(80, 60)$, $(90, 70)$

0623

x	4	4	6	7	8
y	6	5	7	4	6

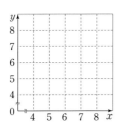

0624

x	8	6	5	7	6
y	7	8	4	5	6

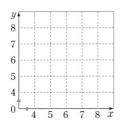

0625

x	70	75	80	60	80
y	80	70	75	65	70
x	80	75	60	65	70
y	80	75	70	60	70

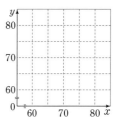

0626

x	5	5	6	7	8
y	6	5	8	4	7
x	4	6	8	7	7
y	5	7	8	8	6

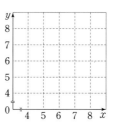

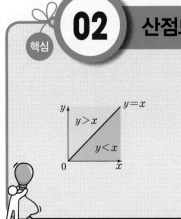

x, y의 산점도를 주어진 조건에 따라 분석할 때는 기준이 되는 선을 그어 확인한다.

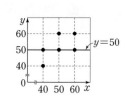
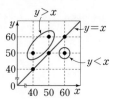

📂 아래는 15명의 학생에 대한 수행평가 1차 성적과 2차 성적을 조사하여 나타낸 산점도이다. 다음을 구하여라.

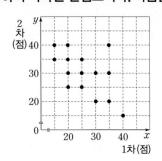

0627 1차 때 성적이 20점인 학생 수

sol $x=20$인 점을 찾으면 ☐개이므로 구하는 학생 수는 ☐명이다.

0628 2차 때 성적이 25점인 학생 수

_____

0629 1차 때 성적이 30점 이상인 학생 수

_____

key 직선 $x=30$ 위의 점과 그 오른쪽에 있는 점의 개수와 같다.

0630 2차 때 성적이 30점 미만인 학생 수

_____

key 직선 $y=30$의 아래쪽에 있는 점의 개수와 같다.

0631 1차와 2차 모두 30점 이상인 학생 수

_____

📂 아래는 16명의 학생에 대한 국어와 수학 성적을 조사하여 나타낸 산점도이다. 다음을 구하여라.

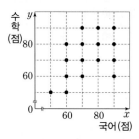

0632 국어 성적과 수학 성적이 같은 학생 수

sol 직선 $y=x$ 위의 점이 ☐개이므로 구하는 학생 수는 ☐명이다.

0633 국어 성적이 수학 성적보다 좋은 학생 수

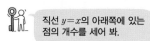

직선 $y=x$의 아래쪽에 있는 점의 개수를 세어 봐.

_____

0634 수학 성적이 국어 성적보다 좋은 학생 수

_____

0635 학교 시험 맛보기 ✏️

오른쪽 그림은 10명의 학생에 대한 체육 수행평가 점수를 조사하여 나타낸 것이다. 1차와 2차 점수가 같은 학생 수를 구하여라.

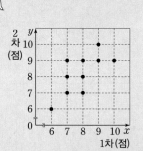

_____

key 직선 $y=x$ 위의 점을 찾아본다.

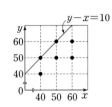
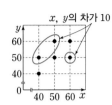
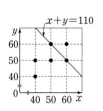

📁 **아래는 양궁 선수 10명이 1차, 2차에 걸쳐 활을 쏘았을 때의 점수를 나타낸 산점도이다. 다음을 구하여라.**

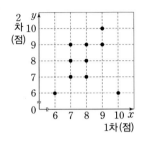

0636 1차 점수가 2차 점수보다 1점 더 높은 선수의 수

sol $x-y=1$인 점이 $(8, 7)$로 ☐개이므로
구하는 선수의 수는 ☐명이다.

0637 2차 점수가 1차 점수보다 1점 더 높은 선수의 수

_____

0638 1차와 2차 점수의 차가 2점인 선수의 1차와 2차 점수

_____

0639 1차와 2차 점수의 차가 가장 큰 선수의 1, 2차 점수의 평균

_____

key 직선 $y=x$에서 가장 멀리 떨어져 있는 점을 찾는다.

📁 **아래는 15명의 학생에 대한 수학과 과학 점수를 조사하여 나타낸 산점도이다. 다음을 구하여라.**

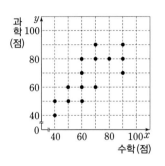

0640 두 과목의 점수의 합이 110점인 학생 수

sol $x+y=110$인 점이 $(50, 60)$, $(60, 50)$으로
☐개이므로 구하는 학생 수는 ☐명이다.

0641 두 과목의 점수의 평균이 70점인 학생의 각 과목의 점수

🔍 점수의 합이 140점! _____

0642 두 과목의 점수의 평균이 55점 이하인 학생 수

_____

0643 두 과목의 점수의 평균이 80점 이상인 학생 수

점의 위치를
잘 보고 판단해!

A는 학습 시간에 비해
점수가 높은 편이다.

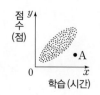

A는 학습 시간에 비해
점수가 낮은 편이다.

A는 학습 시간도 길고,
점수도 높은 편이다.

📁 아래에서 (가)는 어느 학급 학생들의 지능지수 x와 수학 성적 y에 대한 산점도이고, (나)는 어느 학급 학생들의 영어 성적 x와 과학 성적 y에 대한 산점도이다. 두 산점도를 보고, ☐ 안에 A~E 중 알맞은 것을 써넣어라.

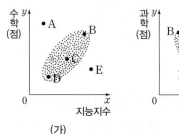 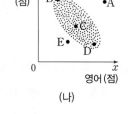

(가)　　　　　(나)

0644 지능지수에 비해 수학 성적이 비교적 높은 학생은 ☐이다.

0645 지능지수에 비해 수학 성적이 비교적 낮은 학생은 ☐이다.

0646 과학 성적에 비해 영어 성적이 비교적 낮은 학생은 ☐이다.

0647 영어 성적과 과학 성적이 모두 비교적 높은 학생은 ☐이다.

📁 오른쪽 그림은 새하네 반 학생 20명의 영어 성적과 국어 성적에 대한 산점도이다. 산점도를 보고, ☐ 안에 알맞게 써넣어라.

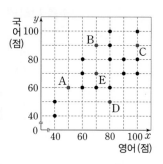

0648 국어 성적이 A 학생과 같은 학생은 ☐명이다.

0649 A, B, C, D, E 중 국어 성적과 영어 성적이 모두 비교적 높은 학생은 ☐이다.

0650 두 과목 성적의 평균이 E 학생의 성적의 평균과 같은 학생은 ☐명이다.

0651 국어 성적과 영어 성적이 모두 E 학생보다 좋은 학생은 전체의 ☐%이다.

key 국어 성적과 영어 성적이 모두 70점 초과인 학생은 7명이다.

0652 A, B, C, D, E 중 영어 성적과 국어 성적의 차가 가장 큰 학생은 ☐이다.

05 상관관계 (1)

핵심

기울기가 양이면
➡ 양의 상관관계
기울기가 음이면
➡ 음의 상관관계

상관관계 : 두 변량 사이에 어떤 관계가 있을 때, 이러한 관계를 상관관계라고 한다.
① 양의 상관관계 : x의 값이 증가함에 따라 y의 값도 대체로 증가하는 관계
② 음의 상관관계 : x의 값이 증가함에 따라 y의 값은 대체로 감소하는 관계
③ 상관관계가 없다.

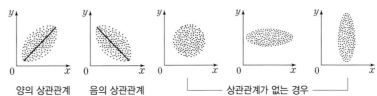

양의 상관관계 음의 상관관계 └──── 상관관계가 없는 경우 ────┘

📂 **주어진 자료를 보고, 다음 물음에 답하여라.**

하루 TV 시청 시간과 학습 시간

TV 시청 시간 (시간)	학습 시간 (시간)	TV 시청 시간 (시간)	학습 시간 (시간)
0.5	2.0	2.5	1.5
2.0	1.5	1.0	3.0
1.5	2.5	2.0	2.0
3.0	0.5	1.5	3.0
1.0	1.5	3.0	1.0
2.5	1.0	1.5	3.5
1.5	1.5	1.0	3.5
2.0	2.5	3.5	0.5

0653 산점도로 나타내어라.

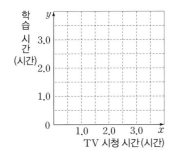

0654 알맞은 말에 ○표 하여라.
TV 시청 시간이 길수록 학습 시간이
(짧아진다, 길어진다).

0655 상관관계를 말하여라. _____

📂 **주어진 자료를 보고, 다음 물음에 답하여라.**

차량의 수와 미세먼지 농도

차량(천 대)	미세먼지 ($\mu g/m^3$)	차량(천 대)	미세먼지 ($\mu g/m^3$)
20	25	60	65
45	40	45	55
35	45	55	45
55	60	60	55
30	40	35	50
50	50	40	50
25	30	40	40
40	35	65	60

0656 산점도로 나타내어라.

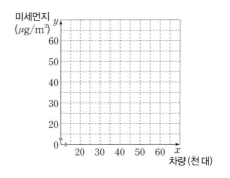

0657 알맞은 말에 ○표 하여라.
차량이 많을수록 미세먼지는
(적어진다, 많아진다).

0658 상관관계를 말하여라. _____

7

상점도와 상관관계

산점도에서 점들이 한 직선에 가까이 모여 있을수록 상관관계가 강하다고 하고, 흩어져 있을수록 상관관계가 약하다고 한다.

(1) 양의 상관관계

강한 경우   약한 경우

(2) 음의 상관관계

강한 경우   약한 경우

상관관계가 강할수록
점들이 직선 가까이에
모여 있어!

📁 **보기의 산점도를 보고, 다음 물음에 답하여라.**

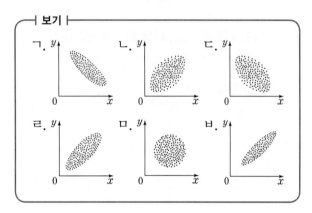

0659 양의 상관관계가 있는 것을 모두 골라라.

―――――

0660 음의 상관관계가 있는 것을 모두 골라라.

―――――

0661 상관관계가 없는 것을 모두 골라라.

―――――

0662 x의 값이 증가함에 따라 y의 값은 대체로 감소하는 관계가 있는 것을 모두 골라라.

―――――

0663 x의 값이 증가함에 따라 y의 값도 대체로 증가하는 관계가 있는 것을 모두 골라라.

―――――

0664 ㄹ보다 강한 양의 상관관계를 나타내는 것을 골라라.

―――――

0665 ㄹ보다 약한 양의 상관관계를 나타내는 것을 골라라.

―――――

0666 ㄱ보다 약한 음의 상관관계를 나타내는 것을 골라라.

―――――

07 상관관계 (3)

Subnote ○ 37쪽

(1) x의 값이 증가함에 따라 y의 값도 대체로 증가 ➡ 양의 상관관계
(2) x의 값이 증가함에 따라 y의 값은 대체로 감소 ➡ 음의 상관관계
(3) 양이나 음의 상관관계가 아닐 때 ➡ 상관관계가 없다.

📁 보기의 산점도 중에서 두 변량 사이의 상관관계로 알맞은 것을 골라라.

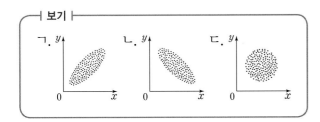

0667 물건의 가격과 판매량 ( )

> **sol** 물건의 가격이 오르면 판매량은 줄어들므로
> ☐ 의 상관관계이다. 따라서 보기에서 ☐ 이다.

0668 산의 높이와 나무 둘레의 길이 ( )

0669 머리 둘레의 길이와 모자 치수 ( )

0670 겨울철 기온과 난방비 ( )

0671 미세먼지 농도와 마스크 판매량 ( )

0672 출생율과 인구 증가율 ( )

0673 전기 사용량과 전기 요금 ( )

0674 산의 높이와 정상에서의 기온 ( )

0675 눈의 크기와 시력 ( )

0676 주행 속도와 제동 거리 ( )

0677 운동량과 비만도 ( )

Mini Review Test

Subnote 37쪽

오른쪽 그림은 어느 반 학생 20명의 영어와 국어 점수에 대한 산점도이다. 다음 물음에 답하여라. (0678~0679)

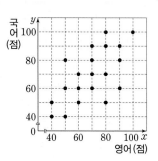

핵심 02

0678 영어와 국어 점수가 같은 학생 수를 구하여라.

핵심 03 서술형

0679 영어와 국어 점수의 차가 30점인 학생은 전체의 몇 %인지 구하여라.

핵심 02

0680 오른쪽 그림은 어느 반 학생 20명의 지난 일 년 동안 읽은 책의 수와 국어 성적에 대한 산점도이다. 국어 성적이 90점 이상인 학생들이 읽은 책의 수의 평균은?

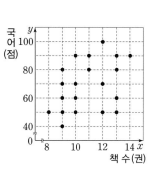

① 10권 ② 11권 ③ 12권
④ 13권 ⑤ 14권

핵심 04

0681 오른쪽 그림은 어느 반 학생들의 1일 평균 수면 시간과 수학 성적에 대한 산점도이다. 수면 시간이 긴 것에 비해 수학 성적이 비교적 좋은 학생은?

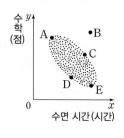

① A ② B ③ C
④ D ⑤ E

핵심 05 06

0682 다음 산점도 중 양의 상관관계를 나타낸 것은?

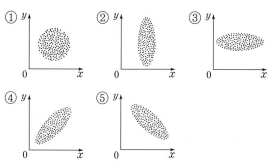

핵심 07

0683 다음 중 두 변량 사이에 음의 상관관계가 있는 것은?

① 여름철 기온과 냉방비
② 쌀 생산량과 쌀의 가격
③ 시력과 발의 크기
④ 키와 국어 성적
⑤ 택시의 주행 거리와 택시비

Review

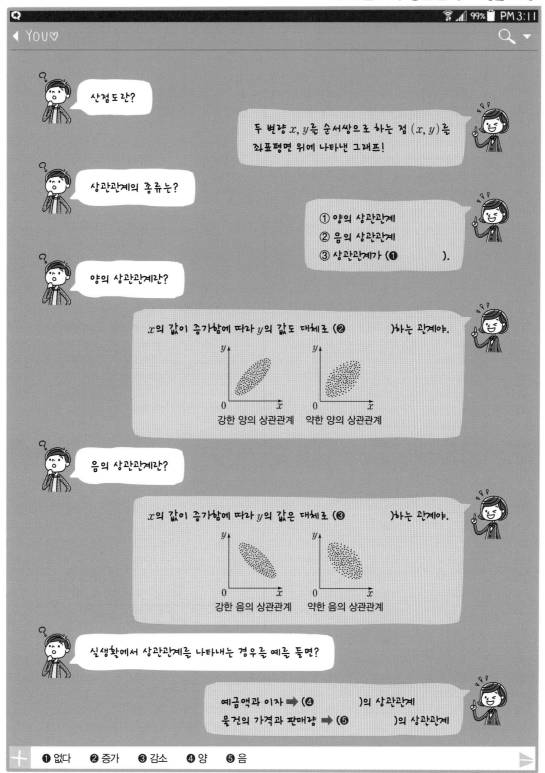

산점도란?

두 변량 x, y를 순서쌍으로 하는 점 (x, y)를 좌표평면 위에 나타낸 그래프!

상관관계의 종류는?

① 양의 상관관계
② 음의 상관관계
③ 상관관계가 (❶　　　).

양의 상관관계란?

x의 값이 증가함에 따라 y의 값도 대체로 (❷　　　)하는 관계야.

강한 양의 상관관계　　약한 양의 상관관계

음의 상관관계란?

x의 값이 증가함에 따라 y의 값은 대체로 (❸　　　)하는 관계야.

강한 음의 상관관계　　약한 음의 상관관계

실생활에서 상관관계를 나타내는 경우를 예를 들면?

예금액과 이자 ➡ (❹　　　)의 상관관계
물건의 가격과 판매량 ➡ (❺　　　)의 상관관계

❶ 없다　❷ 증가　❸ 감소　❹ 양　❺ 음

삼각비의표

각	사인(sin)	코사인(cos)	탄젠트(tan)	각	사인(sin)	코사인(cos)	탄젠트(tan)
0°	0.0000	1.0000	0.0000	45°	0.7071	0.7071	1.0000
1°	0.0175	0.9998	0.0175	46°	0.7193	0.6947	1.0355
2°	0.0349	0.9994	0.0349	47°	0.7314	0.6820	1.0724
3°	0.0523	0.9986	0.0524	48°	0.7431	0.6691	1.1106
4°	0.0698	0.9976	0.0699	49°	0.7547	0.6561	1.1504
5°	0.0872	0.9962	0.0875	50°	0.7660	0.6428	1.1918
6°	0.1045	0.9945	0.1051	51°	0.7771	0.6293	1.2349
7°	0.1219	0.9925	0.1228	52°	0.7880	0.6157	1.2799
8°	0.1392	0.9903	0.1405	53°	0.7986	0.6018	1.3270
9°	0.1564	0.9877	0.1584	54°	0.8090	0.5878	1.3764
10°	0.1736	0.9848	0.1763	55°	0.8192	0.5736	1.4281
11°	0.1908	0.9816	0.1944	56°	0.8290	0.5592	1.4826
12°	0.2079	0.9781	0.2126	57°	0.8387	0.5446	1.5399
13°	0.2250	0.9744	0.2309	58°	0.8480	0.5299	1.6003
14°	0.2419	0.9703	0.2493	59°	0.8572	0.5150	1.6643
15°	0.2588	0.9659	0.2679	60°	0.8660	0.5000	1.7321
16°	0.2756	0.9613	0.2867	61°	0.8746	0.4848	1.8040
17°	0.2924	0.9563	0.3057	62°	0.8829	0.4695	1.8807
18°	0.3090	0.9511	0.3249	63°	0.8910	0.4540	1.9626
19°	0.3256	0.9455	0.3443	64°	0.8988	0.4384	2.0503
20°	0.3420	0.9397	0.3640	65°	0.9063	0.4226	2.1445
21°	0.3584	0.9336	0.3839	66°	0.9135	0.4067	2.2460
22°	0.3746	0.9272	0.4040	67°	0.9205	0.3907	2.3559
23°	0.3907	0.9205	0.4245	68°	0.9272	0.3746	2.4751
24°	0.4067	0.9135	0.4452	69°	0.9336	0.3584	2.6051
25°	0.4226	0.9063	0.4663	70°	0.9397	0.3420	2.7475
26°	0.4384	0.8988	0.4877	71°	0.9455	0.3256	2.9042
27°	0.4540	0.8910	0.5095	72°	0.9511	0.3090	3.0777
28°	0.4695	0.8829	0.5317	73°	0.9563	0.2924	3.2709
29°	0.4848	0.8746	0.5543	74°	0.9613	0.2756	3.4874
30°	0.5000	0.8660	0.5774	75°	0.9659	0.2588	3.7321
31°	0.5150	0.8572	0.6009	76°	0.9703	0.2419	4.0108
32°	0.5299	0.8480	0.6249	77°	0.9744	0.2250	4.3315
33°	0.5446	0.8387	0.6494	78°	0.9781	0.2079	4.7046
34°	0.5592	0.8290	0.6745	79°	0.9816	0.1908	5.1446
35°	0.5736	0.8192	0.7002	80°	0.9848	0.1736	5.6713
36°	0.5878	0.8090	0.7265	81°	0.9877	0.1564	6.3138
37°	0.6018	0.7986	0.7536	82°	0.9903	0.1392	7.1154
38°	0.6157	0.7880	0.7813	83°	0.9925	0.1219	8.1443
39°	0.6293	0.7771	0.8098	84°	0.9945	0.1045	9.5144
40°	0.6428	0.7660	0.8391	85°	0.9962	0.0872	11.4301
41°	0.6561	0.7547	0.8693	86°	0.9976	0.0698	14.3007
42°	0.6691	0.7431	0.9004	87°	0.9986	0.0523	19.0811
43°	0.6820	0.7314	0.9325	88°	0.9994	0.0349	28.6363
44°	0.6947	0.7193	0.9657	89°	0.9998	0.0175	57.2900
45°	0.7071	0.7071	1.0000	90°	1.0000	0.0000	

Memo

Memo

미래를 생각하는
(주)이룸이앤비

이룸이앤비는 항상 꿈을 갖고 무한한 가능성에 도전하는 수험생 여러분과 함께 할 것을 약속드립니다.
수험생 여러분의 미래를 생각하는 이룸이앤비는 항상 새롭고 특별합니다.

내신·수능 1등급으로 가는 길
이룸이앤비가 함께합니다.

이룸이앤비 🔍

인터넷 서비스

이룸이앤비의 모든 교재에 대한 자세한 정보
각 교재에 필요한 듣기 MP3 파일
교재 관련 내용 문의 및 오류에 대한 수정 파일

라이트수학

숨마쿰라우데®

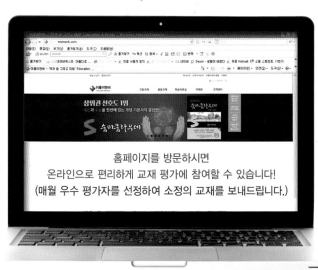

홈페이지를 방문하시면
온라인으로 편리하게 교재 평가에 참여할 수 있습니다!
(매월 우수 평가자를 선정하여 소정의 교재를 보내드립니다.)

STARTUP

굿비
좋은 시작, 좋은 기초

미래로 수능기출총정리
HOW to 수능1등급

Q&A를 통한 스토리텔링식
수학 기본서의 결정판!

튼튼한 **개념!** 흔들리지 않는 **실력!**
숨마쿰라우데 중학수학
개념기본서

새교육과정에
맞춘 최고의
개념기본서

1-**상** 1-**하**
2-**상** 2-**하**
3-**상** 3-**하**

Why **왜! 수학 개념이 중요하지? 문제만 많이 풀면 되잖아**

모든 수학 문제는 수학 개념을 잘 이해하고 있는지를 측정합니다.
같은 개념이라도 다양한 형태의 문제로 출제되지요.
개념을 정확히 이해하고 있다면 이들 다양한 문제들을 쉽게 해결할 수 있습니다.
개념 하나를 제대로 공부하는 것이 열 문제를 푸는 것보다 더 중요한 이유입니다!

How **어떻게 개념 학습을 해야 재미있고, 기억에 오래 남을까?**

수학도 이야기입니다. 흐름을 이해하며 개념을 공부하면
이야기처럼 머릿속에 차근차근 기억이 됩니다.
『숨마쿰라우데 개념기본서』는 묻고 답하는 형식으로 개념을 설명하였습니다.
대화를 나누듯 공부할 수 있어 재미있고 쉽게 이해가 됩니다.

숨마쿰라우데
[반복 수학 문제집]

한 개념씩 쉬운 문제로 매일매일 공부하자!

STARTUP

스타트업 중학수학

3-하

자기주도 학습서 베스트 1위
새교육
과정
숨마쿰라우데

SUB NOTE 정답 및 해설

스타트업 중학수학3-하

SUB NOTE
정답 및 해설

이룸이앤비
Education&Books

❶ 삼각비

1. 삼각비

01 삼각비의 뜻 (1)　　본문 **○** 13쪽

0001 (1) $\overline{BC}$, $\frac{4}{5}$ (2) $\overline{AC}$, $\frac{3}{5}$ (3) $\overline{BC}$, $\frac{4}{3}$

0002 (1) $\frac{\sqrt{5}}{3}$ (2) $\frac{2}{3}$ (3) $\frac{\sqrt{5}}{2}$　**0003** (1) $\frac{1}{2}$ (2) $\frac{\sqrt{3}}{2}$ (3) $\frac{\sqrt{3}}{3}$

0004 (1) $\frac{3}{5}$ (2) $\frac{4}{5}$ (3) $\frac{3}{4}$　　**0005** (1) $\frac{\sqrt{2}}{2}$ (2) $\frac{\sqrt{2}}{2}$ (3) 1

0006 (1) $\frac{\sqrt{10}}{10}$ (2) $\frac{3\sqrt{10}}{10}$ (3) $\frac{1}{3}$

0003 (3) $\tan A = \frac{1}{\sqrt{3}} = \frac{\sqrt{3}}{3}$

0004 (1) $\sin A = \frac{6}{10} = \frac{3}{5}$

(2) $\cos A = \frac{8}{10} = \frac{4}{5}$

(3) $\tan A = \frac{6}{8} = \frac{3}{4}$

0005 (1) $\sin A = \frac{1}{\sqrt{2}} = \frac{\sqrt{2}}{2}$

(2) $\cos A = \frac{1}{\sqrt{2}} = \frac{\sqrt{2}}{2}$

(3) $\tan A = \frac{1}{1} = 1$

0006 (1) $\sin A = \frac{1}{\sqrt{10}} = \frac{\sqrt{10}}{10}$

(2) $\cos A = \frac{3}{\sqrt{10}} = \frac{3\sqrt{10}}{10}$

(3) $\tan A = \frac{1}{3}$

02 삼각비의 뜻 (2)　　본문 **○** 14쪽

0007 (1) $\overline{AB}$, $\frac{4}{5}$ (2) $\overline{BC}$, $\frac{3}{5}$ (3) $\overline{AB}$, $\frac{4}{3}$

0008 (1) $\frac{12}{13}$ (2) $\frac{5}{13}$ (3) $\frac{12}{5}$　**0009** (1) $\frac{\sqrt{3}}{3}$ (2) $\frac{\sqrt{6}}{3}$ (3) $\frac{\sqrt{2}}{2}$

0010 (1) $\frac{15}{17}$ (2) $\frac{8}{17}$ (3) $\frac{15}{8}$　**0011** (1) $\frac{\sqrt{7}}{4}$ (2) $\frac{3}{4}$ (3) $\frac{\sqrt{7}}{3}$

0012 $\frac{3\sqrt{5}}{5}$

0007 (1) $\sin C = \frac{8}{10} = \frac{4}{5}$

(2) $\cos C = \frac{6}{10} = \frac{3}{5}$

(3) $\tan C = \frac{8}{6} = \frac{4}{3}$

0009 (3) $\tan A = \frac{\sqrt{3}}{\sqrt{6}} = \frac{1}{\sqrt{2}} = \frac{\sqrt{2}}{2}$

0010 $\overline{AC} = \sqrt{15^2 + 8^2} = 17$

0011 $\overline{AB} = \sqrt{4^2 - 3^2} = \sqrt{7}$

0012 $\overline{BC} = \sqrt{2^2 + 1^2} = \sqrt{5}$이므로

$\sin B = \frac{1}{\sqrt{5}} = \frac{\sqrt{5}}{5}$, $\sin C = \frac{2}{\sqrt{5}} = \frac{2\sqrt{5}}{5}$

$\therefore \sin B + \sin C = \frac{\sqrt{5}}{5} + \frac{2\sqrt{5}}{5} = \frac{3\sqrt{5}}{5}$

03 삼각비로 삼각형의 변의 길이 구하기　　본문 **○** 15쪽

0013 6, 6, 8　　　　　　**0014** $x = 4$, $y = 2\sqrt{5}$

0015 $x = 2\sqrt{3}$, $y = 4$　　**0016** $x = 2\sqrt{7}$, $y = 6$

0017 $x = 3\sqrt{2}$, $y = 3$　　**0018** $x = 3$, $y = \sqrt{10}$

0019 28

0014 $\cos A = \frac{x}{6}$이므로 $\frac{x}{6} = \frac{2}{3}$

$3x = 12$　$\therefore x = 4$

$\therefore y = \sqrt{6^2 - 4^2} = \sqrt{20} = 2\sqrt{5}$

0015 $\tan A = \frac{x}{2}$이므로 $\frac{x}{2} = \sqrt{3}$

$\therefore x = 2\sqrt{3}$

$\therefore y = \sqrt{2^2 + (2\sqrt{3})^2} = \sqrt{16} = 4$

0016 $\sin C = \frac{x}{8}$이므로 $\frac{x}{8} = \frac{\sqrt{7}}{4}$

$4x = 8\sqrt{7}$　$\therefore x = 2\sqrt{7}$

$\therefore y = \sqrt{8^2 - (2\sqrt{7})^2} = \sqrt{36} = 6$

0017 $\cos C = \frac{3}{x}$이므로 $\frac{3}{x} = \frac{\sqrt{2}}{2}$

$\sqrt{2}x = 6$　$\therefore x = 3\sqrt{2}$

$\therefore y = \sqrt{(3\sqrt{2})^2 - 3^2} = \sqrt{9} = 3$

0018 $\tan C = \dfrac{x}{1} = x$이므로 $x = 3$

$\therefore y = \sqrt{1^2 + 3^2} = \sqrt{10}$

0019 $\cos B = \dfrac{x}{20}$이므로 $\dfrac{x}{20} = \dfrac{4}{5}$

$5x = 80 \quad \therefore x = 16$

$\therefore y = \sqrt{20^2 - 16^2} = \sqrt{144} = 12$

$\therefore x + y = 16 + 12 = 28$

---

04 삼각비의 값　　　본문 ○ 16쪽

0020 (1) $\dfrac{3}{5}$ (2) $\dfrac{4}{3}$ / 3, $\dfrac{3}{5}$, $\dfrac{4}{3}$

0021 풀이 참조 (1) $\dfrac{12}{13}$ (2) $\dfrac{12}{5}$

0022 풀이 참조 (1) $\dfrac{3\sqrt{13}}{13}$ (2) $\dfrac{2\sqrt{13}}{13}$

0023 풀이 참조 (1) $\dfrac{2\sqrt{2}}{3}$ (2) $\dfrac{\sqrt{2}}{4}$

0024 풀이 참조 (1) $\dfrac{\sqrt{21}}{5}$ (2) $\dfrac{\sqrt{21}}{2}$

0025 풀이 참조 (1) $\dfrac{2\sqrt{5}}{5}$ (2) $\dfrac{\sqrt{5}}{5}$　　　**0026** $\dfrac{8}{15}$

0021 $\angle B = 90°$, $\cos A = \dfrac{5}{13}$이므로

오른쪽 그림과 같이 $\overline{AC} = 13$, $\overline{AB} = 5$인

직각삼각형 ABC를 그리면

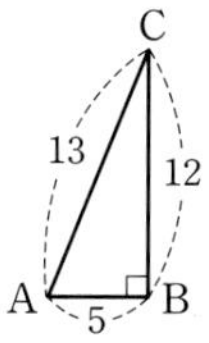

$\overline{BC} = \sqrt{13^2 - 5^2} = 12$

(1) $\sin A = \dfrac{12}{13}$

(2) $\tan A = \dfrac{12}{5}$

0022 $\angle B = 90°$, $\tan A = \dfrac{3}{2}$이므로

오른쪽 그림과 같이 $\overline{AB} = 2$, $\overline{BC} = 3$인

직각삼각형 ABC를 그리면

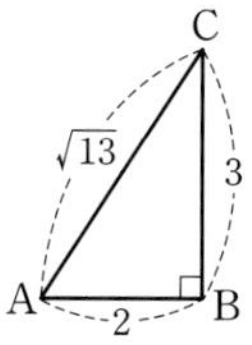

$\overline{AC} = \sqrt{2^2 + 3^2} = \sqrt{13}$

(1) $\sin A = \dfrac{3}{\sqrt{13}} = \dfrac{3\sqrt{13}}{13}$

(2) $\cos A = \dfrac{2}{\sqrt{13}} = \dfrac{2\sqrt{13}}{13}$

0023 $\angle B = 90°$, $\sin A = \dfrac{1}{3}$이므로

오른쪽 그림과 같이 $\overline{AC} = 3$, $\overline{BC} = 1$인

직각삼각형 ABC를 그리면

$\overline{AB} = \sqrt{3^2 - 1^2} = \sqrt{8} = 2\sqrt{2}$

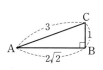

---

(1) $\cos A = \dfrac{2\sqrt{2}}{3}$

(2) $\tan A = \dfrac{1}{2\sqrt{2}} = \dfrac{\sqrt{2}}{4}$

0024 $\angle B = 90°$, $\cos A = \dfrac{2}{5}$이므로

오른쪽 그림과 같이 $\overline{AC} = 5$, $\overline{AB} = 2$인

직각삼각형 ABC를 그리면

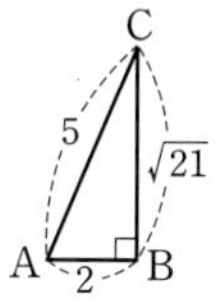

$\overline{BC} = \sqrt{5^2 - 2^2} = \sqrt{21}$

(1) $\sin A = \dfrac{\sqrt{21}}{5}$

(2) $\tan A = \dfrac{\sqrt{21}}{2}$

0025 $\angle B = 90°$, $\tan A = 2$이므로

오른쪽 그림과 같이 $\overline{AB} = 1$, $\overline{BC} = 2$인

직각삼각형 ABC를 그리면

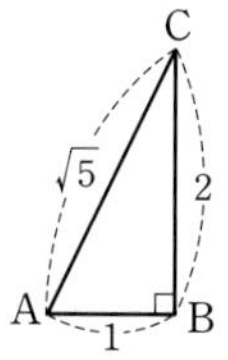

$\overline{AC} = \sqrt{1^2 + 2^2} = \sqrt{5}$

(1) $\sin A = \dfrac{2}{\sqrt{5}} = \dfrac{2\sqrt{5}}{5}$

(2) $\cos A = \dfrac{1}{\sqrt{5}} = \dfrac{\sqrt{5}}{5}$

0026 $\angle B = 90°$, $\sin A = \dfrac{3}{5}$이므로

오른쪽 그림과 같이 $\overline{AC} = 5$, $\overline{BC} = 3$인

직각삼각형 ABC를 그리면

$\overline{AB} = \sqrt{5^2 - 3^2} = \sqrt{16} = 4$

따라서 $\tan C = \dfrac{4}{3}$, $\cos A = \dfrac{4}{5}$이므로

$\tan C - \cos A = \dfrac{4}{3} - \dfrac{4}{5} = \dfrac{8}{15}$

---

05 닮음을 이용한 삼각비의 값 (1)　　　본문 ○ 17쪽

0027 $\angle A$, A, $\dfrac{3}{5}$, A, $\dfrac{4}{5}$, A, $\dfrac{3}{4}$

0028 (1) $\dfrac{\sqrt{5}}{3}$ (2) $\dfrac{2}{3}$ (3) $\dfrac{\sqrt{5}}{2}$

0029 (1) $\dfrac{\sqrt{2}}{2}$ (2) $\dfrac{\sqrt{2}}{2}$ (3) 1

0030 $\triangle ACB$, $\angle B$, B, $\dfrac{\sqrt{5}}{3}$, B, $\dfrac{2}{3}$, B, $\dfrac{\sqrt{5}}{2}$

0031 (1) $\dfrac{12}{13}$ (2) $\dfrac{5}{13}$ (3) $\dfrac{12}{5}$

0032 $\dfrac{\sqrt{2}}{3}$

0028 $\triangle ABC \backsim \triangle DEC$이므로 $\angle x = \angle A$

(1) $\sin x = \sin A = \dfrac{\overline{BC}}{\overline{AC}} = \dfrac{\sqrt{5}}{3}$

(2) $\cos x = \cos A = \dfrac{\overline{AB}}{\overline{AC}} = \dfrac{2}{3}$

(3) $\tan x = \tan A = \dfrac{\overline{BC}}{\overline{AB}} = \dfrac{\sqrt{5}}{2}$

0029 $\overline{AB} = \sqrt{3^2 + 3^2} = \sqrt{18} = 3\sqrt{2}$

$\triangle ABC \backsim \triangle DBE$이므로 $\angle x = \angle A$

(1) $\sin x = \sin A = \dfrac{\overline{BC}}{\overline{AB}} = \dfrac{3}{3\sqrt{2}} = \dfrac{\sqrt{2}}{2}$

(2) $\cos x = \cos A = \dfrac{\overline{AC}}{\overline{AB}} = \dfrac{3}{3\sqrt{2}} = \dfrac{\sqrt{2}}{2}$

(3) $\tan x = \tan A = \dfrac{\overline{BC}}{\overline{AC}} = \dfrac{3}{3} = 1$

0031 $\triangle DBE \backsim \triangle CBA$이므로 $\angle x = \angle C$

(1) $\sin x = \sin C = \dfrac{\overline{AB}}{\overline{BC}} = \dfrac{12}{13}$

(2) $\cos x = \cos C = \dfrac{\overline{AC}}{\overline{BC}} = \dfrac{5}{13}$

(3) $\tan x = \tan C = \dfrac{\overline{AB}}{\overline{AC}} = \dfrac{12}{5}$

0032 $\triangle ABC \backsim \triangle EDC$이므로 $\angle x = \angle EDC$

$\triangle EDC$에서 $\overline{CD} = \sqrt{2^2 + (\sqrt{2})^2} = \sqrt{6}$

$\therefore \sin x = \sin(\angle EDC) = \dfrac{2}{\sqrt{6}} = \dfrac{\sqrt{6}}{3}$

$\cos x = \cos(\angle EDC) = \dfrac{\sqrt{2}}{\sqrt{6}} = \dfrac{\sqrt{3}}{3}$

$\therefore \sin x \times \cos x = \dfrac{\sqrt{6}}{3} \times \dfrac{\sqrt{3}}{3} = \dfrac{\sqrt{2}}{3}$

06 닮음을 이용한 삼각비의 값(2)　　　본문 ○ 18쪽

0033 (1) $\overline{BD}, \overline{AC}$ (2) $\overline{AB}, \overline{CD}$ (3) $\overline{BD}, \overline{CD}$

0034 (1) $\angle C, C, \dfrac{8}{17}, C, \dfrac{15}{17}, C, \dfrac{8}{15}$

(2) $\dfrac{15}{17}, \dfrac{8}{17}, \dfrac{15}{8}$

0035 (1) 5 (2) $\sin x = \dfrac{4}{5}, \cos x = \dfrac{3}{5}, \tan x = \dfrac{4}{3}$

(3) $\sin y = \dfrac{3}{5}, \cos y = \dfrac{4}{5}, \tan y = \dfrac{3}{4}$

0036 (1) $\sqrt{3}$ (2) $\sin x = \dfrac{1}{2}, \cos x = \dfrac{\sqrt{3}}{2}, \tan x = \dfrac{\sqrt{3}}{3}$

(3) $\sin y = \dfrac{\sqrt{3}}{2}, \cos y = \dfrac{1}{2}, \tan y = \sqrt{3}$

0035 (1) $\triangle ABC$에서 $\overline{BC} = \sqrt{3^2 + 4^2} = \sqrt{25} = 5$

(2) $\triangle DAB \backsim \triangle ACB$이므로 $\angle x = \angle C$

$\therefore \sin x = \sin C = \dfrac{4}{5}$

$\cos x = \cos C = \dfrac{3}{5}$

$\tan x = \tan C = \dfrac{4}{3}$

(3) $\triangle DAC \backsim \triangle ABC$이므로 $\angle y = \angle B$

$\therefore \sin y = \sin B = \dfrac{3}{5}$

$\cos y = \cos B = \dfrac{4}{5}$

$\tan y = \tan B = \dfrac{3}{4}$

0036 (1) $\triangle ABC$에서 $\overline{AC} = \sqrt{2^2 - 1^2} = \sqrt{3}$

(2) $\triangle DAB \backsim \triangle ACB$이므로 $\angle x = \angle C$

$\therefore \sin x = \sin C = \dfrac{1}{2}$

$\cos x = \cos C = \dfrac{\sqrt{3}}{2}$

$\tan x = \tan C = \dfrac{1}{\sqrt{3}} = \dfrac{\sqrt{3}}{3}$

(3) $\triangle DAC \backsim \triangle ABC$이므로 $\angle y = \angle B$

$\therefore \sin y = \sin B = \dfrac{\sqrt{3}}{2}$

$\cos y = \cos B = \dfrac{1}{2}$

$\tan y = \tan B = \sqrt{3}$

07 직선의 방정식과 삼각비　　　본문 ○ 19쪽

0037 (1) $-3, 4, 3, 4, 5$ (2) $\dfrac{4}{5}$ (3) $\dfrac{3}{5}$ (4) $\dfrac{4}{3}$

0038 $\sin \alpha = \dfrac{2\sqrt{5}}{5}, \cos \alpha = \dfrac{\sqrt{5}}{5}, \tan \alpha = 2$

0039 (1) $\dfrac{3}{2}, 1, \dfrac{3}{2}$　　　　**0040** 1　　　**0041** $\dfrac{1}{2}$

0042 4

0038 $A(-1, 0), B(0, 2)$이므로

$\triangle AOB$에서 $\overline{OA} = 1, \overline{OB} = 2$

$\therefore \overline{AB} = \sqrt{1^2 + 2^2} = \sqrt{5}$

$\therefore \sin \alpha = \dfrac{2}{\sqrt{5}} = \dfrac{2\sqrt{5}}{5}$

$\cos \alpha = \dfrac{1}{\sqrt{5}} = \dfrac{\sqrt{5}}{5}$

$\tan \alpha = \dfrac{2}{1} = 2$

0040 $x-y+1=0$에서 $y=x+1$
직선의 기울기가 1이므로
$\tan a=1$

0041 $2y-x-6=0$에서 $y=\dfrac{1}{2}x+3$
직선의 기울기가 $\dfrac{1}{2}$이므로
$\tan a=\dfrac{1}{2}$

0042 $4x-y-8=0$에서 $y=4x-8$
직선의 기울기가 4이므로
$\tan a=4$

08 입체도형에서 삼각비 이용하기   본문 ⚪ 20쪽

0043 $\dfrac{\sqrt{6}}{3}$, $\sqrt{2}$, $\sqrt{2}$, $\sqrt{3}$, $\dfrac{\sqrt{6}}{3}$

0044 $2\sqrt{2}$, $2\sqrt{3}$, $\dfrac{\sqrt{6}}{3}$ **0045** $3\sqrt{2}$, $3\sqrt{3}$, $\dfrac{\sqrt{3}}{3}$

0046 $\dfrac{\sqrt{2}}{2}$, 5, 5, $5\sqrt{2}$, $\dfrac{\sqrt{2}}{2}$ **0047** $4\sqrt{2}$, 9, $\dfrac{7}{9}$

0048 $\dfrac{\sqrt{2}}{3}$

0044 $\overline{EG}=\sqrt{2^2+2^2}=\sqrt{8}=2\sqrt{2}$
$\overline{AG}=\sqrt{2^2+(2\sqrt{2})^2}=\sqrt{12}=2\sqrt{3}$
$\therefore \cos x=\dfrac{\overline{EG}}{\overline{AG}}=\dfrac{2\sqrt{2}}{2\sqrt{3}}=\dfrac{\sqrt{6}}{3}$

0045 $\overline{FH}=\sqrt{3^2+3^2}=\sqrt{18}=3\sqrt{2}$
$\overline{FD}=\sqrt{3^2+(3\sqrt{2})^2}=\sqrt{27}=3\sqrt{3}$
$\therefore \sin x=\dfrac{\overline{DH}}{\overline{FD}}=\dfrac{3}{3\sqrt{3}}=\dfrac{\sqrt{3}}{3}$

0047 $\overline{FH}=\sqrt{4^2+4^2}=\sqrt{32}=4\sqrt{2}$
$\overline{BH}=\sqrt{7^2+(4\sqrt{2})^2}=\sqrt{81}=9$
$\therefore \sin x=\dfrac{\overline{BF}}{\overline{BH}}=\dfrac{7}{9}$

0048 정육면체의 한 모서리의 길이를 a라고 하면
$\overline{EG}=\sqrt{a^2+a^2}=\sqrt{2a^2}=\sqrt{2}a$
$\overline{EC}=\sqrt{a^2+(\sqrt{2}a)^2}=\sqrt{3a^2}=\sqrt{3}a$
$\therefore \sin x=\dfrac{\overline{CG}}{\overline{EC}}=\dfrac{a}{\sqrt{3}a}=\dfrac{\sqrt{3}}{3}$

$\cos x=\dfrac{\overline{EG}}{\overline{EC}}=\dfrac{\sqrt{2}a}{\sqrt{3}a}=\dfrac{\sqrt{6}}{3}$
$\therefore \sin x\times\cos x=\dfrac{\sqrt{3}}{3}\times\dfrac{\sqrt{6}}{3}=\dfrac{\sqrt{2}}{3}$

핵심 01~08 Mini **Review** Test   본문 ⚪ 21쪽

0049 ③   **0050** $4\sqrt{21}$ **0051** $2\sqrt{3}$ **0052** ④

0053 ③   **0054** $\dfrac{\sqrt{2}}{2}$

0049 $\overline{AB}=\sqrt{(\sqrt{10})^2-2^2}=\sqrt{6}$이므로
③ $\tan A=\dfrac{2}{\sqrt{6}}=\dfrac{\sqrt{6}}{3}$

0050 $\sin B=\dfrac{\overline{AC}}{10}$이므로 $\dfrac{\overline{AC}}{10}=\dfrac{2}{5}$
$5\overline{AC}=20$ $\therefore \overline{AC}=4$
△ABC에서 $\overline{AB}=\sqrt{10^2-4^2}=2\sqrt{21}$이므로
$\triangle ABC=\dfrac{1}{2}\times4\times2\sqrt{21}=4\sqrt{21}$

0051 $\tan A=\sqrt{3}$이므로 $\overline{AB}=1$, $\overline{BC}=\sqrt{3}$인
직각삼각형 ABC를 그리면 오른쪽 그림과
같다.
$\overline{AC}=\sqrt{1+(\sqrt{3})^2}=\sqrt{4}=2$ ······ ❶
$\therefore \sin A=\dfrac{\sqrt{3}}{2}$, $\cos A=\dfrac{1}{2}$ ······ ❷
$\therefore 8\sin A\times\cos A=8\times\dfrac{\sqrt{3}}{2}\times\dfrac{1}{2}=2\sqrt{3}$ ······ ❸

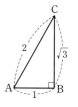

채점 기준	배점
❶ 직각삼각형 ABC를 그려 $\overline{AC}$의 길이 구하기	40 %
❷ $\sin A$, $\cos A$의 값 구하기	40 %
❸ $8\sin A\times\cos A$의 값 구하기	20 %

0052 $\triangle ABC \backsim \triangle DBA$ (AA 닮음)이므로
$\angle x=\angle BCA$
$\triangle ABC \backsim \triangle DAC$ (AA 닮음)이므로
$\angle y=\angle ABC$
△ABC에서 $\overline{BC}=\sqrt{5^2+12^2}=13$
$\therefore \sin x=\sin(\angle BCA)=\dfrac{5}{13}$
$\sin y=\sin(\angle ABC)=\dfrac{12}{13}$
$\therefore \sin x+\sin y=\dfrac{5}{13}+\dfrac{12}{13}=\dfrac{17}{13}$

0053 $4x-2y+3=0$에서 $y=2x+\dfrac{3}{2}$
직선의 기울기가 2이므로
$\tan a=2$

0054 $\overline{\mathrm{FH}}=\sqrt{6^2+8^2}=\sqrt{100}=10$

$\overline{\mathrm{BH}}=\sqrt{10^2+10^2}=\sqrt{200}=10\sqrt{2}$

$\therefore \cos x=\dfrac{\overline{\mathrm{FH}}}{\overline{\mathrm{BH}}}=\dfrac{10}{10\sqrt{2}}=\dfrac{\sqrt{2}}{2}$

---

09 특수한 각의 삼각비의 값 (1)　　　본문 ⊙ 22쪽

0055 $\sqrt{3}$　　**0056** $\dfrac{2\sqrt{3}}{3}$　　**0057** $\sqrt{2}$　　**0058** $-\dfrac{1}{2}$

0059 $\dfrac{\sqrt{6}}{6}$　　**0060** $\dfrac{1}{2}$　　**0061** $45°$　　**0062** $30°$

0063 $60°$　　**0064** $60, 60, 40$　　**0065** $10°$

0066 $30°$

0055 $\cos 30°+\sin 60°=\dfrac{\sqrt{3}}{2}+\dfrac{\sqrt{3}}{2}=\sqrt{3}$

0056 $\tan 60°-\tan 30°=\sqrt{3}-\dfrac{\sqrt{3}}{3}=\dfrac{2\sqrt{3}}{3}$

0057 $\cos 45°\div\sin 30°=\dfrac{\sqrt{2}}{2}\div\dfrac{1}{2}=\sqrt{2}$

0058 $\cos 60°-\tan 45°=\dfrac{1}{2}-1=-\dfrac{1}{2}$

0059 $\sin 45°\times\tan 30°=\dfrac{\sqrt{2}}{2}\times\dfrac{\sqrt{3}}{3}=\dfrac{\sqrt{6}}{6}$

0060 $\sin 60°\div\tan 60°=\dfrac{\sqrt{3}}{2}\div\sqrt{3}=\dfrac{1}{2}$

0065 $\tan 30°=\dfrac{\sqrt{3}}{3}$이므로

$2x+10°=30°$　　$\therefore x=10°$

0066 $\cos 45°=\dfrac{\sqrt{2}}{2}$이므로

$2x-15°=45°$　　$\therefore x=30°$

---

10 특수한 각의 삼각비의 값 (2)　　　본문 ⊙ 23쪽

0067 $\dfrac{1}{2}, 4, \sqrt{3}, 2\sqrt{3}$　　**0068** $x=2\sqrt{3}, y=\sqrt{6}$

0069 $x=2\sqrt{3}, y=2$　　**0070** $x=\sqrt{3}, y=2\sqrt{3}$

0071 $\dfrac{\sqrt{2}}{2}, 3\sqrt{2}, \dfrac{\sqrt{3}}{2}, 2\sqrt{6}$　　**0072** $x=\sqrt{3}, y=\sqrt{6}$

0073 $x=2, y=6$　　**0074** $2+2\sqrt{3}$

0068 $\cos 45°=\dfrac{\sqrt{6}}{x}=\dfrac{\sqrt{2}}{2}$　　$\therefore x=2\sqrt{3}$

$\tan 45°=\dfrac{y}{\sqrt{6}}=1$　　$\therefore y=\sqrt{6}$

0069 $\cos 30°=\dfrac{x}{4}=\dfrac{\sqrt{3}}{2}$　　$\therefore x=2\sqrt{3}$

$\sin 30°=\dfrac{y}{4}=\dfrac{1}{2}$　　$\therefore y=2$

0070 $\tan 60°=\dfrac{3}{x}=\sqrt{3}$　　$\therefore x=\sqrt{3}$

$\sin 60°=\dfrac{3}{y}=\dfrac{\sqrt{3}}{2}$　　$\therefore y=2\sqrt{3}$

0072 $\triangle\mathrm{ABD}$에서 $\tan 30°=\dfrac{x}{3}=\dfrac{\sqrt{3}}{3}$　　$\therefore x=\sqrt{3}$

$\triangle\mathrm{ADC}$에서 $\sin 45°=\dfrac{\sqrt{3}}{y}=\dfrac{\sqrt{2}}{2}$　　$\therefore y=\sqrt{6}$

0073 $\triangle\mathrm{ABD}$에서 $\tan 60°=\dfrac{2\sqrt{3}}{x}=\sqrt{3}$　　$\therefore x=2$

$\triangle\mathrm{ADC}$에서 $\tan 30°=\dfrac{2\sqrt{3}}{y}=\dfrac{\sqrt{3}}{3}$　　$\therefore y=6$

0074 $\triangle\mathrm{ADC}$에서

$\sin 30°=\dfrac{\overline{\mathrm{AD}}}{4}=\dfrac{1}{2}$　　$\therefore \overline{\mathrm{AD}}=2$

$\cos 30°=\dfrac{\overline{\mathrm{CD}}}{4}=\dfrac{\sqrt{3}}{2}$　　$\therefore \overline{\mathrm{CD}}=2\sqrt{3}$

$\triangle\mathrm{ABD}$에서 $\tan 45°=\dfrac{2}{\overline{\mathrm{BD}}}=1$　　$\therefore \overline{\mathrm{BD}}=2$

$\therefore \overline{\mathrm{BC}}=\overline{\mathrm{BD}}+\overline{\mathrm{CD}}=2+2\sqrt{3}$

---

11 특수한 각의 삼각비의 값 (3)　　　본문 ⊙ 24쪽

0075 $1, \sqrt{2}, \sqrt{2}, \dfrac{\sqrt{3}}{3}, \sqrt{6}, \sqrt{6}-\sqrt{2}$

0076 $2\sqrt{2}$　　**0077** 9　　**0078** $4\sqrt{3}$

0079 $\dfrac{\sqrt{2}}{2}, \sqrt{6}, \dfrac{\sqrt{3}}{2}, 2\sqrt{2}$　　**0080** $x=3\sqrt{2}, y=6$

0081 $x=\sqrt{6}, y=\sqrt{3}$　　**0082** $\dfrac{27\sqrt{3}}{2}$

0076 $\triangle\mathrm{ADC}$에서 $\tan 60°=\dfrac{\sqrt{6}}{\overline{\mathrm{DC}}}=\sqrt{3}$　　$\therefore \overline{\mathrm{DC}}=\sqrt{2}$

$\triangle\mathrm{ABC}$에서 $\tan 30°=\dfrac{\sqrt{6}}{\overline{\mathrm{BC}}}=\dfrac{\sqrt{3}}{3}$　　$\therefore \overline{\mathrm{BC}}=3\sqrt{2}$

$\therefore x=\overline{\mathrm{BC}}-\overline{\mathrm{DC}}=3\sqrt{2}-\sqrt{2}=2\sqrt{2}$

0077 $\triangle$BCD에서 $\cos 30° = \dfrac{\overline{BC}}{6} = \dfrac{\sqrt{3}}{2}$ ∴ $\overline{BC} = 3\sqrt{3}$

$\triangle$ABC에서 $\tan 30° = \dfrac{3\sqrt{3}}{x} = \dfrac{\sqrt{3}}{3}$ ∴ $x = 9$

0078 $\angle$BAD $= 60° - 30° = 30°$이므로

$\overline{AD} = \overline{BD} = 4$

$\triangle$ADC에서 $\sin 60° = \dfrac{\overline{AC}}{4} = \dfrac{\sqrt{3}}{2}$ ∴ $\overline{AC} = 2\sqrt{3}$

$\triangle$ABC에서 $\sin 30° = \dfrac{2\sqrt{3}}{x} = \dfrac{1}{2}$ ∴ $x = 4\sqrt{3}$

0080 $\triangle$BCD에서 $\tan 30° = \dfrac{\sqrt{6}}{x} = \dfrac{\sqrt{3}}{3}$ ∴ $x = 3\sqrt{2}$

$\triangle$ABC에서 $\sin 45° = \dfrac{3\sqrt{2}}{y} = \dfrac{\sqrt{2}}{2}$ ∴ $y = 6$

0081 $\triangle$BCD에서 $\tan 30° = \dfrac{\sqrt{2}}{x} = \dfrac{\sqrt{3}}{3}$ ∴ $x = \sqrt{6}$

$\triangle$ABC에서 $\sin 45° = \dfrac{y}{\sqrt{6}} = \dfrac{\sqrt{2}}{2}$ ∴ $y = \sqrt{3}$

0082 $\angle$CAD $= 60° - 30° = 30°$이므로

$\overline{AD} = \overline{CD} = 6$

$\triangle$ABD에서

$\sin 60° = \dfrac{\overline{AB}}{6} = \dfrac{\sqrt{3}}{2}$ ∴ $\overline{AB} = 3\sqrt{3}$

$\cos 60° = \dfrac{\overline{BD}}{6} = \dfrac{1}{2}$ ∴ $\overline{BD} = 3$

따라서 $\overline{BC} = 3 + 6 = 9$이므로

$\triangle$ABC $= \dfrac{1}{2} \times 9 \times 3\sqrt{3} = \dfrac{27\sqrt{3}}{2}$

---

12 직선의 기울기 $- \tan a$ 본문 ○ 25쪽

0083 $1, 2, x+2$	**0084** $y = \sqrt{3}x + 6$
0085 $y = \dfrac{\sqrt{3}}{3}x + 2\sqrt{3}$	**0086** $\dfrac{\sqrt{3}}{3}, \dfrac{\sqrt{3}}{3}, \sqrt{3}, -1, \dfrac{\sqrt{3}}{3}, 1$
0087 $y = x - 2$	**0088** $y = \sqrt{3}x - 1$

0084 (기울기) $= \tan 60° = \sqrt{3}$

(y절편) $= 6$ ∴ $y = \sqrt{3}x + 6$

0085 (기울기) $= \tan 30° = \dfrac{\sqrt{3}}{3}$

(y절편) $= 2\sqrt{3}$

∴ $y = \dfrac{\sqrt{3}}{3}x + 2\sqrt{3}$

0087 (기울기) $= \tan 45° = 1$

$y = x + b$에 $x = 1$, $y = -1$을 대입하면

$-1 = 1 + b$ ∴ $b = -2$

∴ $y = x - 2$

0088 직선이 x축의 양의 방향과 이루는 각의 크기가 $60°$이므로

(기울기) $= \tan 60° = \sqrt{3}$

$y = \sqrt{3}x + b$에 $x = \sqrt{3}$, $y = 2$를 대입하면

$2 = 3 + b$ ∴ $b = -1$

∴ $y = \sqrt{3}x - 1$

---

13 사분원에서 삼각비의 값 본문 ○ 26쪽

0089 $\overline{AB}, \overline{AB}, \overline{AB}$	**0090** $\overline{OB}$	**0091** $\overline{CD}$
0092 $\overline{OB}$ **0093** $\overline{AB}$	**0094** $\overline{OB}$	**0095** $\overline{AB}$
0096 $\overline{AB}, 0.5592$	**0097** 0.8290	**0098** 0.6745
0099 0.8290 **0100** 0.5592	**0101** 1.9578	

0094 $\sin z = \sin y = \overline{OB}$

0095 $\cos z = \cos y = \overline{AB}$

0099 $\triangle$AOB에서 $\angle$OAB $= 90° - 34° = 56°$

∴ $\sin 56° = \dfrac{\overline{OB}}{\overline{OA}} = \dfrac{\overline{OB}}{1} = \overline{OB} = 0.8290$

0100 $\cos 56° = \dfrac{\overline{AB}}{\overline{OA}} = \dfrac{\overline{AB}}{1} = \overline{AB} = 0.5592$

0101 $\tan 50° = \dfrac{\overline{CD}}{\overline{OD}} = \dfrac{\overline{CD}}{1} = \overline{CD} = 1.1918$

$\triangle$AOB에서 $\angle$OAB $= 90° - 50° = 40°$

∴ $\cos 40° = \dfrac{\overline{AB}}{\overline{OA}} = \dfrac{\overline{AB}}{1} = \overline{AB} = 0.7660$

∴ $\tan 50° + \cos 40° = 1.1918 + 0.7660 = 1.9578$

---

14 $0°, 90°$의 삼각비의 값 본문 ○ 27쪽

0102 0	**0103** 1	**0104** 0	**0105** 1
0106 0	**0107** 정할 수 없다.		**0108** 1
0109 $\dfrac{1}{2}$	**0110** $\sqrt{3}$	**0111** $\dfrac{\sqrt{6}}{6}$	**0112** $\dfrac{5\sqrt{2}}{4}$

0108 $\sin 0° + \cos 0° = 0 + 1 = 1$

0109 $(\cos 90° + \tan 45°) \times \sin 30°$

$= (0+1) \times \dfrac{1}{2} = \dfrac{1}{2}$

0110 $\sin 60° \times \cos 0° + \cos 30° \times \sin 90°$

$= \dfrac{\sqrt{3}}{2} \times 1 + \dfrac{\sqrt{3}}{2} \times 1 = \sqrt{3}$

0111 $(\tan 0° + \sin 45°)(\cos 90° + \tan 30°)$

$= \left(0 + \dfrac{\sqrt{2}}{2}\right)\left(0 + \dfrac{\sqrt{3}}{3}\right) = \dfrac{\sqrt{2}}{2} \times \dfrac{\sqrt{3}}{3} = \dfrac{\sqrt{6}}{6}$

0112 $\cos 0° \div \sin 45° + \cos 45° \times \sin 30°$

$= 1 \div \dfrac{\sqrt{2}}{2} + \dfrac{\sqrt{2}}{2} \times \dfrac{1}{2} = \sqrt{2} + \dfrac{\sqrt{2}}{4} = \dfrac{5\sqrt{2}}{4}$

---

15 삼각비의 값의 대소 관계 　　본문 ○ 28쪽

0113 <　　**0114** >　　**0115** <　　**0116** <

0117 >　　**0118** >, =, >, >

0119 <　　**0120** <　　**0121** <

0122 $\sin 40°$, $\cos 40°$, $\cos 0°$, $\tan 70°$

0113 $0° < x < 90°$에서 x의 크기가 증가하면 $\sin x$의 값도 증가한다.

0114 $0° < x < 90°$에서 x의 크기가 증가하면 $\cos x$의 값은 감소한다.

0115 $0° < x < 90°$에서 x의 크기가 증가하면 $\tan x$의 값도 증가한다.

0116 $0° < x < 45°$일 때 $\sin x < \cos x$이므로 $\sin 35° < \cos 35°$

0117 $45° < x < 90°$일 때 $\sin x > \cos x$이므로 $\sin 50° > \cos 50°$

0119 $\cos 55° < 1 = \tan 45°$이므로 $\cos 55° < \tan 45°$

0120 $\cos 65° < 1 < \tan 65°$이므로 $\cos 65° < \tan 65°$

0121 $\sin 85° < 1 < \tan 85°$이므로 $\sin 85° < \tan 85°$

0122 $\cos 0° = 1$, $\tan 70° > \tan 45° = 1$

$0° < x < 45°$일 때 $\sin x < \cos x$이므로

$\sin 40° < \cos 40° < 1$

$\therefore \sin 40° < \cos 40° < \cos 0° < \tan 70°$

---

16 삼각비의 표 　　본문 ○ 29쪽

0123 0.5299　**0124** 0.8192　**0125** 0.6009　**0126** 0.5592

0127 0.8387　**0128** 0.6249　**0129** 64°　**0130** 62°

0131 61°　　**0132** 63°　　**0133** 65°　　**0134** 63°

---

17 삼각비의 표의 활용 　　본문 ○ 30쪽

0135 0.7660, 76.6　　　**0136** 6.82

0137 4.502　**0138** 14.386　**0139** 8.48, 0.848, 58

0140 59°　　**0141** 56°　　**0142** 5.736

0136 $\sin 43° = \dfrac{x}{10}$이므로 $\dfrac{x}{10} = 0.6820$

$\therefore x = 6.82$

0137 $\tan 42° = \dfrac{x}{5}$이므로 $\dfrac{x}{5} = 0.9004$　　$\therefore x = 4.502$

0138 $\angle C = 90° - 46° = 44°$

$\cos 44° = \dfrac{x}{20}$이므로 $\dfrac{x}{20} = 0.7193$

$\therefore x = 14.386$

0140 $\cos x = \dfrac{10.3}{20} = 0.515$

$\therefore x = 59°$

0141 $\tan x = \dfrac{7.413}{5} = 1.4826$

$\therefore x = 56°$

0142 $\sin A = \dfrac{8.192}{10} = 0.8192$　　$\therefore \angle A = 55°$

즉, $\cos 55° = \dfrac{x}{10} = 0.5736$　　$\therefore x = 5.736$

0143 $\dfrac{3\sqrt{3}}{2}$ **0144** $9\sqrt{3}+3$ **0145** $y=\dfrac{\sqrt{3}}{3}x+3$

0146 $\dfrac{\sqrt{3}}{6}$ **0147** ⑤   **0148** ⑤   **0149** 14.004

0143 $\cos 45°=\dfrac{\sqrt{2}}{2}$ 이므로

$x-15°=45°$ $\therefore x=60°$

$\therefore \sin 60°+\tan 60°=\dfrac{\sqrt{3}}{2}+\sqrt{3}=\dfrac{3\sqrt{3}}{2}$

0144 △ACD에서

$\sin 30°=\dfrac{3}{\overline{AC}}=\dfrac{1}{2}$ $\therefore \overline{AC}=6$

$\tan 30°=\dfrac{3}{\overline{CD}}=\dfrac{\sqrt{3}}{3}$ $\therefore \overline{CD}=3\sqrt{3}$

△ABC에서

$\sin 60°=\dfrac{6}{\overline{BC}}=\dfrac{\sqrt{3}}{2}$ $\therefore \overline{BC}=4\sqrt{3}$

$\cos 60°=\dfrac{\overline{AB}}{\overline{BC}}=\dfrac{\overline{AB}}{4\sqrt{3}}=\dfrac{1}{2}$ $\therefore \overline{AB}=2\sqrt{3}$

따라서 □ABCD의 둘레의 길이는

$2\sqrt{3}+4\sqrt{3}+3\sqrt{3}+3=9\sqrt{3}+3$

0145 $(기울기)=\tan 30°=\dfrac{\sqrt{3}}{3}$

$(y절편)=3$ $\therefore y=\dfrac{\sqrt{3}}{3}x+3$

0146 $\sin 0°+\cos 30°\times\tan 45°-\cos 0°\div\tan 60°$

$=0+\dfrac{\sqrt{3}}{2}\times 1-1\div\sqrt{3}=\dfrac{\sqrt{3}}{2}-\dfrac{\sqrt{3}}{3}=\dfrac{\sqrt{3}}{6}$

0147 ⑤ $\tan z=\dfrac{\overline{AE}}{\overline{DE}}=\dfrac{1}{\overline{DE}}$

0148 ① $\sin 32°<\sin 40°$

② $\cos 15°>\cos 18°$

③ $\sin 40°<\cos 40°$

④ $\tan 45°=1,\ \sin 70°<1$이므로

   $\tan 45°>\sin 70°$

⑤ $\sin 72°<1,\ \tan 72°>1$이므로

   $\sin 72°<\tan 72°$

0149 $\sin 37°=\dfrac{x}{10}$ 이므로

$0.6018=\dfrac{x}{10}$ $\therefore x=6.018$ ······ ❶

$\cos 37°=\dfrac{y}{10}$ 이므로

$0.7986=\dfrac{y}{10}$ $\therefore y=7.986$ ······ ❷

$\therefore x+y=6.018+7.986=14.004$ ······ ❸

채점 기준	배점
❶ x의 값 구하기	40 %
❷ y의 값 구하기	40 %
❸ $x+y$의 값 구하기	20 %

2. 삼각비의 활용

본문 ⊙ 36쪽

01 직각삼각형의 변의 길이 (1)

0150 $\dfrac{x}{2}$, $2\sin 34°$ **0151** $6\cos 28°$

0152 $8\tan 64°$ **0153** 0.42, 4.2, 0.91, 9.1

0154 $x=4$, $y=2.61$ **0155** 1.35

0154 $\cos 41°=\dfrac{3}{x}$이므로

$$x=\dfrac{3}{\cos 41°}=\dfrac{3}{0.75}=4$$

$\tan 41°=\dfrac{y}{3}$이므로

$$y=3\tan 41°=3\times 0.87=2.61$$

0155 $\sin 56°=\dfrac{x}{5}$이므로

$$x=5\sin 56°=5\times 0.83=4.15$$

$\cos 56°=\dfrac{y}{5}$이므로

$$y=5\cos 56°=5\times 0.56=2.8$$

$$\therefore x-y=4.15-2.8=1.35$$

본문 ⊙ 37쪽

02 직각삼각형의 변의 길이 (2)

0156 $14.3\,\mathrm{m}$ **0157** $9\,\mathrm{m}$ **0158** $67\,\mathrm{m}$

0159 (1) 1.5 (2) $\tan 65°$, 2.14, 10.7 (3) 1.5, 10.7, 12.2

0160 $17\,\mathrm{m}$

0156 $\overline{BC}=10\tan 55°=10\times 1.43=14.3\,(\mathrm{m})$

0157 $\overline{BC}=12\tan 37°=12\times 0.75=9\,(\mathrm{m})$

0158 $\overline{AB}=100\cos 48°=100\times 0.67=67\,(\mathrm{m})$

0160 $\overline{BH}=\overline{AD}=1.6\,\mathrm{m}$

$\overline{AB}=\overline{DH}=10\,\mathrm{m}$이므로

$\overline{BC}=10\tan 57°=10\times 1.54=15.4\,(\mathrm{m})$

$$\therefore \overline{CH}=\overline{BC}+\overline{BH}=15.4+1.6=17\,(\mathrm{m})$$

본문 ⊙ 38쪽

03 직각삼각형의 변의 길이 (3)

0161 0.73, 2.92, 0.80, 5, 2.92, 5, 7.92

0162 $9.5\,\mathrm{m}$ **0163** $3.054\,\mathrm{m}$

0164 $\dfrac{\sqrt{3}}{3}$, $10\sqrt{3}$, 1, 30, $10\sqrt{3}+30$

0165 $50(\sqrt{3}+1)\mathrm{m}$ **0166** $50(3+\sqrt{3})\mathrm{m}$

0162 $\overline{AB}=2\tan 66°=2\times 2.25=4.5\,(\mathrm{m})$

$$\overline{AC}=\dfrac{2}{\cos 66°}=\dfrac{2}{0.4}=5\,(\mathrm{m})$$

따라서 부러지기 전의 나무의 높이는

$$\overline{AC}+\overline{AB}=5+4.5=9.5\,(\mathrm{m})$$

0163 $\overline{AC}=1.7\tan 32°=1.7\times 0.62=1.054\,(\mathrm{m})$

$$\overline{AB}=\dfrac{1.7}{\cos 32°}=\dfrac{1.7}{0.85}=2\,(\mathrm{m})$$

따라서 부러지기 전의 나무의 높이는

$$\overline{AC}+\overline{AB}=1.054+2=3.054\,(\mathrm{m})$$

0165 $\overline{CD}=50\tan 60°=50\times\sqrt{3}=50\sqrt{3}\,(\mathrm{m})$

$\overline{BD}=50\tan 45°=50\times 1=50\,(\mathrm{m})$

따라서 (나) 건물의 높이는

$$\overline{CD}+\overline{BD}=50(\sqrt{3}+1)\,\mathrm{m}$$

0166 $\overline{CD}=150\tan 45°=150\times 1=150\,(\mathrm{m})$

$\overline{BD}=150\tan 30°=150\times\dfrac{\sqrt{3}}{3}=50\sqrt{3}\,(\mathrm{m})$

따라서 송신탑의 높이는

$$\overline{BC}=\overline{CD}+\overline{BD}=50(3+\sqrt{3})\,\mathrm{m}$$

본문 ⊙ 39쪽

04 일반 삼각형의 변의 길이 (1)

0167 (1) $\sin$, $\dfrac{\sqrt{3}}{2}$, $2\sqrt{3}$ (2) $\cos$, $\dfrac{1}{2}$, 2

(3) 2, 4 (4) $2\sqrt{3}$, 4, $2\sqrt{7}$

0168 (1) 3 (2) $3\sqrt{3}$ (3) $2\sqrt{3}$ (4) $\sqrt{21}$

0169 $2\sqrt{7}$ **0170** $\sqrt{13}$ **0171** $2\sqrt{21}$

0168 (1) $\triangle ACH$에서 $\overline{AH}=6\sin 30°=6\times\dfrac{1}{2}=3$

(2) $\triangle ACH$에서 $\overline{CH}=6\cos 30°=6\times\dfrac{\sqrt{3}}{2}=3\sqrt{3}$

(3) $\overline{BH}=\overline{BC}-\overline{CH}=5\sqrt{3}-3\sqrt{3}=2\sqrt{3}$

(4) $\triangle ABH$에서

$$\overline{AB}=\sqrt{3^2+(2\sqrt{3})^2}=\sqrt{21}$$

0169 오른쪽 그림과 같이 꼭짓점 A에서 $\overline{BC}$에 내린 수선의 발을 H라고 하면 직각삼각형 ABH에서

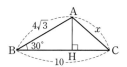

$\overline{AH}=4\sqrt{3}\sin 30°=4\sqrt{3}\times\dfrac{1}{2}$
$\qquad=2\sqrt{3}$

$\overline{BH}=4\sqrt{3}\cos 30°=4\sqrt{3}\times\dfrac{\sqrt{3}}{2}=6$

$\overline{CH}=10-6=4$이므로 △AHC에서
$x=\sqrt{(2\sqrt{3})^2+4^2}=2\sqrt{7}$

0170 오른쪽 그림과 같이 꼭짓점 A에서 $\overline{BC}$에 내린 수선의 발을 H라고 하면 직각삼각형 AHC에서

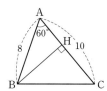

$\overline{AH}=2\sqrt{2}\sin 45°=2\sqrt{2}\times\dfrac{\sqrt{2}}{2}=2$

$\overline{CH}=2\sqrt{2}\cos 45°=2\sqrt{2}\times\dfrac{\sqrt{2}}{2}=2$

$\overline{BH}=5-2=3$이므로 △ABH에서
$x=\sqrt{2^2+3^2}=\sqrt{13}$

0171 오른쪽 그림과 같이 꼭짓점 B에서 $\overline{AC}$에 내린 수선의 발을 H라고 하면 직각삼각형 ABH에서

$\overline{AH}=8\cos 60°=8\times\dfrac{1}{2}=4$

$\overline{BH}=8\sin 60°=8\times\dfrac{\sqrt{3}}{2}=4\sqrt{3}$

$\overline{CH}=10-4=6$이므로 △HBC에서
$\overline{BC}=\sqrt{(4\sqrt{3})^2+6^2}=2\sqrt{21}$

---

05 일반 삼각형의 변의 길이 (2)

05 **일반 삼각형의 변의 길이 (2)** 본문 ○ **40쪽**

0172 (1) 60, $\dfrac{\sqrt{3}}{2}$, $3\sqrt{3}$ (2) 75, 45 (3) 45, $3\sqrt{6}$

0173 (1) 3 (2) 45° (3) $3\sqrt{2}$

0174 10 **0175** $2\sqrt{2}$ **0176** $6\sqrt{2}$

0173 (1) $\overline{CH}=6\sin 30°=6\times\dfrac{1}{2}=3$

(2) ∠A$=180°-(30°+105°)=45°$

(3) $\overline{AC}=\dfrac{\overline{CH}}{\sin 45°}=3\div\dfrac{\sqrt{2}}{2}=3\sqrt{2}$

0174 오른쪽 그림과 같이 꼭짓점 C에서 $\overline{AB}$에 내린 수선의 발을 H라고 하면 △BCH에서

$\overline{CH}=5\sqrt{2}\sin 45°=5\sqrt{2}\times\dfrac{\sqrt{2}}{2}=5$

∠A$=180°-(45°+105°)=30°$이므로
△AHC에서
$x=\dfrac{\overline{CH}}{\sin 30°}=5\times 2=10$

0175 오른쪽 그림과 같이 꼭짓점 B에서 $\overline{AC}$에 내린 수선의 발을 H라고 하면 △BCH에서

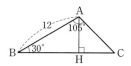

$\overline{BH}=2\sqrt{3}\sin 45°$
$\qquad=2\sqrt{3}\times\dfrac{\sqrt{2}}{2}=\sqrt{6}$

∠A$=180°-(75°+45°)=60°$이므로
△ABH에서
$x=\dfrac{\overline{BH}}{\sin 60°}=\sqrt{6}\times\dfrac{2}{\sqrt{3}}=2\sqrt{2}$

0176 오른쪽 그림과 같이 꼭짓점 A에서 $\overline{BC}$에 내린 수선의 발을 H라고 하면 △ABH에서

$\overline{AH}=12\sin 30°=12\times\dfrac{1}{2}=6$

∠C$=180°-(30°+105°)=45°$
이므로 △AHC에서
$\overline{AC}=\dfrac{\overline{AH}}{\sin 45°}=6\times\dfrac{2}{\sqrt{2}}=6\sqrt{2}$

---

06 **삼각형의 높이 (1)** 본문 ○ **41쪽**

0177 60, 30, 30, $\dfrac{\sqrt{3}}{3}$, $\dfrac{\sqrt{3}}{3}h$ **0178** 45, 45, 45, 1, h

0179 $\dfrac{\sqrt{3}}{3}h$, h, $\sqrt{3}+3$, $\sqrt{3}+3$, $2(3-\sqrt{3})$

0180 $3\sqrt{3}$ **0181** $5(\sqrt{3}-1)$

0182 $4(3-\sqrt{3})$

0180 △ABH에서 ∠BAH$=90°-30°=60°$이므로
$\overline{BH}=h\tan 60°=h\times\sqrt{3}=\sqrt{3}h$

△AHC에서 ∠CAH$=90°-60°=30°$이므로
$\overline{CH}=h\tan 30°=h\times\dfrac{\sqrt{3}}{3}=\dfrac{\sqrt{3}}{3}h$

$\overline{BH}+\overline{CH}=12$이므로
$\sqrt{3}h+\dfrac{\sqrt{3}}{3}h=12$, $\dfrac{4\sqrt{3}}{3}h=12$

∴ $h=12\times\dfrac{3}{4\sqrt{3}}=3\sqrt{3}$

0181 △ABH에서 ∠BAH$=90°-45°=45°$이므로
$\overline{BH}=h\tan 45°=h\times 1=h$

11

2. 삼각비의 활용

△AHC에서 ∠CAH$=90°-30°=60°$이므로

$\overline{CH}=h\tan 60°=h\times\sqrt{3}=\sqrt{3}h$

$\overline{BH}+\overline{CH}=10$이므로

$h+\sqrt{3}h=10,\ (1+\sqrt{3})h=10$

$\therefore h=\dfrac{10}{1+\sqrt{3}}=5(\sqrt{3}-1)$

0182 $\overline{AH}=h$라고 하면

△ABH에서 ∠BAH$=90°-45°=45°$이므로

$\overline{BH}=h\tan 45°=h\times 1=h$

△AHC에서 ∠CAH$=90°-60°=30°$이므로

$\overline{CH}=h\tan 30°=h\times\dfrac{\sqrt{3}}{3}=\dfrac{\sqrt{3}}{3}h$

$\overline{BH}+\overline{CH}=8$이므로

$h+\dfrac{\sqrt{3}}{3}h=8,\ \dfrac{3+\sqrt{3}}{3}h=8$

$\therefore h=8\times\dfrac{3}{3+\sqrt{3}}=8\times\dfrac{3-\sqrt{3}}{2}=4(3-\sqrt{3})$

---

07 삼각형의 높이 (2) 본문 ◐ 42쪽

0183 45, 45, 45, h **0184** 60, 30, 30, $\dfrac{\sqrt{3}}{3}h$

0185 $h,\ \dfrac{\sqrt{3}}{3}h,\ \dfrac{3-\sqrt{3}}{3},\ 3-\sqrt{3},\ 2(3+\sqrt{3})$

0186 $3(3+\sqrt{3})$ **0187** $10(\sqrt{3}+1)$

0188 $9(\sqrt{3}+1)$

0186 △ABH에서 ∠BAH$=90°-45°=45°$이므로

$\overline{BH}=h\tan 45°=h\times 1=h$

△ACH에서 ∠CAH$=120°-90°=30°$이므로

$\overline{CH}=h\tan 30°=h\times\dfrac{\sqrt{3}}{3}=\dfrac{\sqrt{3}}{3}h$

$\overline{BH}-\overline{CH}=6$이므로

$h-\dfrac{\sqrt{3}}{3}h=6,\ \dfrac{3-\sqrt{3}}{3}h=6$

$\therefore h=6\times\dfrac{3}{3-\sqrt{3}}=6\times\dfrac{3+\sqrt{3}}{2}=3(3+\sqrt{3})$

0187 △ABH에서 ∠BAH$=90°-30°=60°$이므로

$\overline{BH}=h\tan 60°=h\times\sqrt{3}=\sqrt{3}h$

△ACH에서 ∠CAH$=90°-45°=45°$이므로

$\overline{CH}=h\tan 45°=h\times 1=h$

$\overline{BH}-\overline{CH}=20$이므로

$\sqrt{3}h-h=20,\ (\sqrt{3}-1)h=20$

$\therefore h=\dfrac{20}{\sqrt{3}-1}=10(\sqrt{3}+1)$

0188 $\overline{AH}=h$라고 하면

△ABH에서 ∠BAH$=90°-30°=60°$이므로

$\overline{BH}=h\tan 60°=h\times\sqrt{3}=\sqrt{3}h$

△ACH에서 ∠CAH$=135°-90°=45°$이므로

$\overline{CH}=h\tan 45°=h\times 1=h$

$\overline{BH}-\overline{CH}=18$이므로

$\sqrt{3}h-h=18,\ (\sqrt{3}-1)h=18$

$\therefore h=\dfrac{18}{\sqrt{3}-1}=9(\sqrt{3}+1)$

---

08 삼각형의 변의 길이와 높이의 활용 본문 ◐ 43쪽

0189 $20\sqrt{7}$ m   **0190** $6(\sqrt{3}-1)$ m

0191 $5\sqrt{7}$ m   **0192** $5\sqrt{2}$ km

0193 $20\sqrt{2}$ m   **0194** $60(3-\sqrt{3})$ m

0195 $15(\sqrt{3}-1)$ m   **0196** $5(\sqrt{3}+1)$ m

0189 ∠ACH$=180°-120°=60°$이므로

△ACH에서

$\overline{AH}=20\sin 60°=10\sqrt{3}$ (m)

$\overline{CH}=20\cos 60°=10$ (m)

$\overline{BH}=40+10=50$ (m)이므로 △ABH에서

$\overline{AB}=\sqrt{50^2+(10\sqrt{3})^2}=20\sqrt{7}$ (m)

0190 △BAD에서 $\overline{BD}=6\tan 60°=6\sqrt{3}$ (m)

△CAD에서 $\overline{CD}=6\tan 45°=6$ (m)

$\therefore \overline{BC}=\overline{BD}-\overline{CD}=6\sqrt{3}-6=6(\sqrt{3}-1)$ (m)

0191 △ABH에서

$\overline{AH}=10\sin 60°=5\sqrt{3}$ (m)

$\overline{BH}=10\cos 60°=5$ (m)

$\overline{CH}=15-5=10$ (m)

이므로 △AHC에서

$\overline{AC}=\sqrt{(5\sqrt{3})^2+10^2}=5\sqrt{7}$ (m)

0192 오른쪽 그림과 같이 꼭짓점 A에서

$\overline{BC}$에 내린 수선의 발을 H라고

하면 △ABH에서

$\overline{AH}=6\sin 45°$

$\quad=6\times\dfrac{\sqrt{2}}{2}=3\sqrt{2}$ (km)

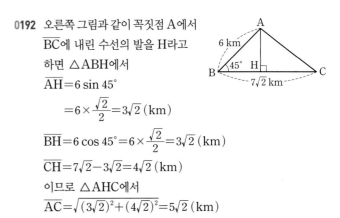

$\overline{BH}=6\cos 45°=6\times\dfrac{\sqrt{2}}{2}=3\sqrt{2}$ (km)

$\overline{CH}=7\sqrt{2}-3\sqrt{2}=4\sqrt{2}$ (km)

이므로 △AHC에서

$\overline{AC}=\sqrt{(3\sqrt{2})^2+(4\sqrt{2})^2}=5\sqrt{2}$ (km)

0193 오른쪽 그림과 같이 꼭짓점 C에서 $\overline{AB}$에 내린 수선의 발을 H라고 하면 △BCH에서

$\overline{CH}=20\sin 45°=20\times\dfrac{\sqrt{2}}{2}=10\sqrt{2}\,(m)$

$\angle A=180°-(45°+105°)=30°$

이므로 △AHC에서

$\overline{AC}=\dfrac{\overline{CH}}{\sin 30°}=10\sqrt{2}\div\dfrac{1}{2}=20\sqrt{2}\,(m)$

0194 $\overline{AH}=h$라고 하면

$\angle BAH=90°-60°=30°$이므로

$\overline{BH}=h\tan 30°=\dfrac{\sqrt{3}}{3}h\,(m)$

$\angle CAH=45°$이므로

$\overline{CH}=h\tan 45°=h\,(m)$

$\overline{BH}+\overline{CH}=\overline{BC}$이므로

$h\left(\dfrac{\sqrt{3}}{3}+1\right)=120,\ h\times\dfrac{\sqrt{3}+3}{3}=120$

$\therefore h=\dfrac{360}{3+\sqrt{3}}=60(3-\sqrt{3})\,(m)$

0195 $\overline{AH}=h$라고 하면

$\angle BAH=45°$이므로

$\overline{BH}=h\tan 45°=h\,(m)$

$\angle CAH=60°$이므로

$\overline{CH}=h\tan 60°=\sqrt{3}h\,(m)$

$\overline{BH}+\overline{CH}=\overline{BC}$이므로

$h+\sqrt{3}h=30,\ h(1+\sqrt{3})=30$

$\therefore h=\dfrac{30}{\sqrt{3}+1}=15(\sqrt{3}-1)\,(m)$

0196 $\overline{AH}=h$라고 하면

△ABH에서 $\angle BAH=90°-30°=60°$이므로

$\overline{BH}=h\tan 60°=\sqrt{3}h\,(m)$

△ACH에서 $\angle CAH=90°-45°=45°$이므로

$\overline{CH}=h\tan 45°=h\,(m)$

$\overline{BH}-\overline{CH}=10\,m$이므로

$\sqrt{3}h-h=10,\ (\sqrt{3}-1)h=10$

$\therefore h=\dfrac{10}{\sqrt{3}-1}=5(\sqrt{3}+1)\,(m)$

핵심 01~08 Mini **Review** Test ・・・・・・・・・・ 본문 ○ **44쪽**

0197 2.5	**0198** 46.5 m	**0199** $12\sqrt{3}$ m	**0200** $40\sqrt{3}$ m
0201 $2\sqrt{5}$	**0202** $12\sqrt{2}$	**0203** $5\sqrt{3}$	**0204** $2\sqrt{2}$ km

0197 $x=10\cos 35°=10\times 0.82=8.2$

$y=10\sin 35°=10\times 0.57=5.7$

$\therefore x-y=8.2-5.7=2.5$

0198 $\overline{CD}=1.5\,m$

$\overline{PD}=100\tan 24°=100\times 0.45=45\,(m)$

$\therefore \overline{PC}=\overline{PD}+\overline{CD}=45+1.5=46.5\,(m)$

0199 $\overline{AC}=12\tan 30°=12\times\dfrac{\sqrt{3}}{3}=4\sqrt{3}\,(m)$

$\overline{AB}=\dfrac{12}{\cos 30°}=12\times\dfrac{2}{\sqrt{3}}=8\sqrt{3}\,(m)$

$\therefore \overline{AC}+\overline{AB}=4\sqrt{3}+8\sqrt{3}=12\sqrt{3}\,(m)$

0200 $\angle CAB=60°-30°=30°$이므로

$\overline{AC}=\overline{BC}=80\,m$

$\therefore \overline{AH}=80\sin 60°$

$=80\times\dfrac{\sqrt{3}}{2}=40\sqrt{3}\,(m)$

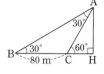

0201 오른쪽 그림과 같이 꼭짓점 A에서 $\overline{BC}$에 내린 수선의 발을 H라 하면 △ABH에서

$\overline{AH}=4\sqrt{2}\sin 45°=4\sqrt{2}\times\dfrac{\sqrt{2}}{2}=4$

$\overline{BH}=4\sqrt{2}\cos 45°=4\sqrt{2}\times\dfrac{\sqrt{2}}{2}=4$

$\overline{CH}=6-4=2$이므로 △AHC에서

$\overline{AC}=\sqrt{4^2+2^2}=2\sqrt{5}$

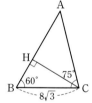

0202 오른쪽 그림과 같이 꼭짓점 C에서 $\overline{AB}$에 내린 수선의 발을 H라 하면 △BCH에서

$\overline{CH}=8\sqrt{3}\sin 60°$

$=8\sqrt{3}\times\dfrac{\sqrt{3}}{2}=12$

$\angle A=180°-(60°+75°)=45°$이므로 △AHC에서

$\overline{AC}=\dfrac{\overline{CH}}{\sin 45°}=12\times\dfrac{2}{\sqrt{2}}=12\sqrt{2}$

0203 $\overline{AH}=h$라 하면 $\angle BAH=30°$, $\angle CAH=60°$이므로 △ABH에서

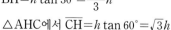

$\overline{BH}=h\tan 30°=\dfrac{\sqrt{3}}{3}h$

△AHC에서 $\overline{CH}=h\tan 60°=\sqrt{3}h$

$\overline{BC}=\overline{BH}+\overline{CH}$이므로

$20=\dfrac{\sqrt{3}}{3}h+\sqrt{3}h$

$\dfrac{4\sqrt{3}}{3}h=20$　$\therefore h=\overline{AH}=5\sqrt{3}$

0204 오른쪽 그림과 같이 꼭짓점 B에서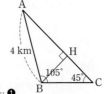
$\overline{AC}$에 내린 수선의 발을 H라고 하면
$\angle A = 180° - (105° + 45°) = 30°$
$\triangle ABH$에서
$\overline{BH} = 4 \sin 30° = 4 \times \dfrac{1}{2} = 2 \ (\text{km})$ ······ ❶

$\therefore \overline{BC} = \dfrac{\overline{BH}}{\sin 45°} = 2 \times \dfrac{2}{\sqrt{2}} = 2\sqrt{2} \ (\text{km})$ ······ ❷

채점 기준	배점
❶ $\overline{BH}$의 길이 구하기	60 %
❷ $\overline{BC}$의 길이 구하기	40 %

09 삼각형의 넓이 (1)
본문 ○ 45쪽

0205 $3, 3, \dfrac{1}{2}, 3$ **0206** $24\sqrt{2}$ **0207** $21\sqrt{3}$
0208 $7\sqrt{3}$ **0209** 12 **0210** 25 **0211** $\sqrt{3}$
0212 $24\sqrt{2}$

0206 $\triangle ABC = \dfrac{1}{2} \times 8 \times 12 \times \sin 45° = 24\sqrt{2}$

0207 $\triangle ABC = \dfrac{1}{2} \times 6 \times 14 \times \sin 60° = 21\sqrt{3}$

0208 $\triangle ABC = \dfrac{1}{2} \times 7 \times 4 \times \sin 60° = 7\sqrt{3}$

0209 $\angle BAC = 180° - 150° = 30°$이므로
$\triangle ABC = \dfrac{1}{2} \times 8 \times 6 \times \sin 30° = 12$

0210 $\overline{AC} = \overline{AB} = 10$이고
$\angle A = 180° - 2 \times 75° = 30°$이므로
$\triangle ABC = \dfrac{1}{2} \times 10 \times 10 \times \sin 30° = 25$

0211 $\angle B = 60°$이고 $\overline{AB} = \overline{CA}$이므로 $\angle A = \angle C = 60°$
즉, $\triangle ABC$는 정삼각형이다.
$\therefore \triangle ABC = \dfrac{1}{2} \times 2 \times 2 \times \sin 60° = \sqrt{3}$

0212 $\angle ACB = 180° - 135° = 45°$이므로
$\triangle ABC = \dfrac{1}{2} \times 8 \times 12 \times \sin 45° = 24\sqrt{2}$

10 삼각형의 넓이 (2)
본문 ○ 46쪽

0213 $8, 120, 8, \dfrac{\sqrt{3}}{2}, 12\sqrt{3}$ **0214** $30\sqrt{2}$ **0215** 5
0216 $3\sqrt{3}$ **0217** $\sqrt{3}$ **0218** 9 **0219** 4

0214 $\triangle ABC = \dfrac{1}{2} \times 10 \times 12 \times \sin(180° - 135°) = 30\sqrt{2}$

0215 $\triangle ABC = \dfrac{1}{2} \times 5 \times 4 \times \sin(180° - 150°) = 5$

0216 $\angle BAC = 180° - 60° = 120°$
$\therefore \triangle ABC = \dfrac{1}{2} \times 3 \times 4 \times \sin(180° - 120°) = 3\sqrt{3}$

0217 $\overline{AB} = \overline{BC}$이므로 $\angle A = \angle C = 30°$
$\angle B = 180° - (30° + 30°) = 120°$
$\therefore \triangle ABC = \dfrac{1}{2} \times 2 \times 2 \times \sin(180° - 120°) = \sqrt{3}$

0218 $\overline{AB} = \overline{AC} = 6$이므로
$\angle B = \angle C = 15°$
$\angle A = 180° - (15° + 15°) = 150°$
$\therefore \triangle ABC = \dfrac{1}{2} \times 6 \times 6 \times \sin(180° - 150°) = 9$

0219 $\angle ACB = 180° - 45° = 135°$
$\triangle ABC = 5\sqrt{2} \ \text{cm}^2$이므로
$\dfrac{1}{2} \times x \times 5 \times \sin(180° - 135°) = 5\sqrt{2}$
$\dfrac{5}{2}x \times \dfrac{\sqrt{2}}{2} = 5\sqrt{2}$
$\dfrac{5\sqrt{2}}{4}x = 5\sqrt{2}$ $\therefore x = 4$

11 사각형의 넓이 (1)
본문 ○ 47쪽

0220 $2, 120, 2\sqrt{3}, 60, \sqrt{3}, 3\sqrt{3}, 4\sqrt{3}$ **0221** $10\sqrt{3} + 4$
0222 $14\sqrt{3}$ **0223** $18 + 3\sqrt{3}$ **0224** $33\sqrt{3}$
0225 84

0221 오른쪽 그림과 같이 $\overline{AC}$를 그으면
$\square ABCD$
$= \triangle ABC + \triangle ACD$
$= \dfrac{1}{2} \times 2\sqrt{10} \times 2\sqrt{10} \times \sin 60°$
$\quad + \dfrac{1}{2} \times 4 \times 2\sqrt{2} \times \sin(180° - 135°)$
$= 10\sqrt{3} + 4$

0222 오른쪽 그림과 같이 $\overline{AC}$를 그으면

$\square ABCD$

$= \triangle ABC + \triangle ACD$

$= \dfrac{1}{2} \times 2\sqrt{3} \times 4 \times \sin(180° - 150°)$

$\quad + \dfrac{1}{2} \times 6 \times 8 \times \sin 60°$

$= 2\sqrt{3} + 12\sqrt{3} = 14\sqrt{3}$

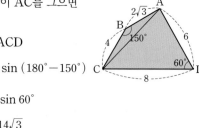

0223 오른쪽 그림과 같이 $\overline{AC}$를 그으면

$\square ABCD$

$= \triangle ABC + \triangle ACD$

$= \dfrac{1}{2} \times 6 \times 6\sqrt{2} \times \sin 45°$

$\quad + \dfrac{1}{2} \times 2\sqrt{3} \times 2\sqrt{3} \times \sin(180° - 120°)$

$= 18 + 3\sqrt{3}$

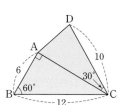

0224 $\triangle ABC$에서

$\overline{AC} = \sqrt{12^2 - 6^2} = \sqrt{108} = 6\sqrt{3}$

$\square ABCD$

$= \triangle ABC + \triangle ACD$

$= \dfrac{1}{2} \times 6 \times 12 \times \sin 60°$

$\quad + \dfrac{1}{2} \times 6\sqrt{3} \times 10 \times \sin 30°$

$= 18\sqrt{3} + 15\sqrt{3} = 33\sqrt{3}$

0225 $\triangle ABC$에서

$\overline{BD} = \sqrt{9^2 + 12^2} = 15$

$\square ABCD$

$= \triangle ABD + \triangle BCD$

$= \dfrac{1}{2} \times 9 \times 12 \times \sin 90°$

$\quad + \dfrac{1}{2} \times 15 \times 8 \times \sin 30°$

$= 54 + 30 = 84$

⑫ **사각형의 넓이 (2)** 본문 ○ 48쪽

0226 $4, 60, 4, \dfrac{\sqrt{3}}{2}, 6\sqrt{3}$ **0227** $10\sqrt{2}$

0228 $8, 135, 8, \dfrac{\sqrt{2}}{2}, 40\sqrt{2}$ **0229** 24

0230 $2, 2, 45, 2\sqrt{2}$ **0231** 8 **0232** $32\sqrt{3}$

0233 6

0227 $\square ABCD = 4 \times 5 \times \sin 45° = 10\sqrt{2}$

0229 $\square ABCD = 6 \times 8 \times \sin(180° - 150°) = 24$

0231 $\overline{BC} = \overline{AB} = 4$이므로

$\square ABCD = 4 \times 4 \times \sin 30° = 8$

0232 $\overline{AB} = \overline{AD} = \overline{BC} = 8$이므로

$\square ABCD = 8 \times 8 \times \sin(180° - 120°) = 32\sqrt{3}$

0233 $\square ABCD = x \times x \times \sin(180° - 135°) = 18\sqrt{2}$이므로

$\dfrac{\sqrt{2}}{2} \times x^2 = 18\sqrt{2}$

$x^2 = 36 \qquad \therefore x = 6 \ (\because x > 0)$

⑬ **사각형의 넓이 (3)** 본문 ○ 49쪽

0234 $12, 60, 12, \dfrac{\sqrt{3}}{2}, 27\sqrt{3}$ **0235** $5\sqrt{2}$

0236 $6, 6, 60, 9\sqrt{3}$ **0237** $18\sqrt{3}$ **0238** $42\sqrt{2}$

0239 4

0235 $\square ABCD = \dfrac{1}{2} \times 4 \times 5 \times \sin 45° = 5\sqrt{2}$

0237 $\square ABCD = \dfrac{1}{2} \times 9 \times 8 \times \sin(180° - 120°) = 18\sqrt{3}$

0238 $\square ABCD = \dfrac{1}{2} \times 12 \times 14 \times \sin(180° - 135°) = 42\sqrt{2}$

0239 $\square ABCD$는 등변사다리꼴이므로 $\overline{BD} = \overline{AC} = 4$

$\therefore \square ABCD = \dfrac{1}{2} \times 4 \times 4 \times \sin(180° - 150°) = 4$

핵심 09~13 Mini **Review** Test 본문 ○ 50쪽

0240 ② **0241** 10 **0242** $16\sqrt{3}$ cm² **0243** 7

0244 9 **0245** $12\sqrt{2}$ **0246** $25\sqrt{3}$ cm²

0240 $\triangle ABC = \dfrac{1}{2} \times 4 \times 7 \times \sin 45° = 7\sqrt{2}$ (cm²)

0241 $\dfrac{1}{2} \times x \times 12 \times \sin 60° = 30\sqrt{3}$이므로

$\dfrac{1}{2} \times x \times 12 \times \dfrac{\sqrt{3}}{2} = 30\sqrt{3} \qquad \therefore x = 10$

0242 $\angle B=\angle A=30°$이므로 $\angle C=120°$

$$\therefore \triangle ABC=\frac{1}{2}\times 8\times 8\times \sin (180°-120°)=16\sqrt{3}\,(\text{cm}^2)$$

0243 $\square ABCD=\triangle ABD+\triangle BCD$

$$=\frac{1}{2}\times \sqrt{2}\times 2\times \sin (180°-135°)$$

$$+\frac{1}{2}\times 3\sqrt{2}\times 4\times \sin 45°$$

$$=1+6=7$$

0244 $\square ABCD=x\times 8\times \sin (180°-120°)=36\sqrt{3}$이므로

$4\sqrt{3}\times x=36\sqrt{3}$

$\therefore x=9$

0245 $\square ABCD=\frac{1}{2}\times 6\times 8\times \sin 45°=12\sqrt{2}$

0246 $\square ABCD$가 등변사다리꼴이므로

$\angle DBC=\angle ACB=30°$, $\overline{AC}=\overline{BD}=10\ \text{cm}$ ......❶

$\triangle BOC$에서 $\angle DOC=30°+30°=60°$ ......❷

$\therefore \square ABCD=\frac{1}{2}\times 10\times 10\times \sin 60°$

$$=50\times \frac{\sqrt{3}}{2}=25\sqrt{3}\,(\text{cm}^2)$$ ......❸

채점 기준	배점
❶ $\angle ACB$의 크기, $\overline{AC}$의 길이 구하기	20 %
❷ $\angle DOC$의 크기 구하기	20 %
❸ $\square ABCD$의 넓이 구하기	60 %

❷ 원과 직선

3. 원과 직선

01 원의 중심과 현의 수직이등분선 (1)　　　본문 ◯ 55쪽

0247 2, 2	**0248** 5	**0249** 6	**0250** 9
0251 5	**0252** 8	**0253** 7	**0254** 10

0249 $x=2\times 3=6$

0250 $x=\frac{1}{2}\times 18=9$

0251 $\overline{CD}$가 현 AB를 수직이등분하므로 원의 중심을 지난다.

따라서 $\overline{CD}$가 원의 지름이므로 반지름의 길이는

$\frac{1}{2}\times 10=5$

0252 $\overline{CD}$가 현 AB를 수직이등분하므로 원의 중심을 지난다.

따라서 $\overline{CD}$가 원의 지름이므로 반지름의 길이는

$\frac{1}{2}\times 16=8$

0253 $\overline{AB}$가 현 CD를 수직이등분하므로 원의 중심을 지난다.

따라서 $\overline{AB}$가 원의 지름이므로 반지름의 길이는

$\frac{1}{2}\times (10+4)=7$

0254 $\overline{AB}$가 현 CD를 수직이등분하므로 원의 중심을 지난다.

따라서 $\overline{AB}$가 원의 지름이므로 반지름의 길이는

$\frac{1}{2}\times (16+4)=10$

02 원의 중심과 현의 수직이등분선 (2)　　　본문 ◯ 56쪽

0255 OM, 3, 4, 4, 8	**0256** 24	**0257** $\sqrt{13}$
0258 4	**0259** 8, 8, $4\sqrt{3}$, $4\sqrt{3}$, $8\sqrt{3}$	
0260 12	**0261** 3	**0262** $6\sqrt{3}$

0256 $\triangle BOM$에서 $\overline{BM}=\sqrt{13^2-5^2}=12$

$\therefore x=2\times 12=24$

0257 $\overline{BM}=\frac{1}{2}\overline{AB}=\frac{1}{2}\times 6=3$이므로

$x=\sqrt{3^2+2^2}=\sqrt{13}$

0258 $\overline{AM}=\dfrac{1}{2}\overline{AB}=\dfrac{1}{2}\times8=4$이므로

$x=\sqrt{(4\sqrt{2})^2-4^2}=4$

0260 오른쪽 그림과 같이 $\overline{OA}$를 그으면

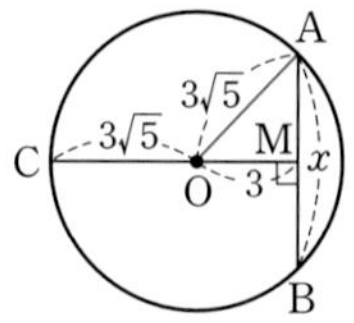

$\overline{OA}=\overline{OC}=3\sqrt{5}$이므로

직각삼각형 OAM에서

$\overline{AM}=\sqrt{(3\sqrt{5})^2-3^2}=6$

$\therefore x=2\overline{AM}=2\times6=12$

0261 오른쪽 그림과 같이 $\overline{OB}$를 그으면

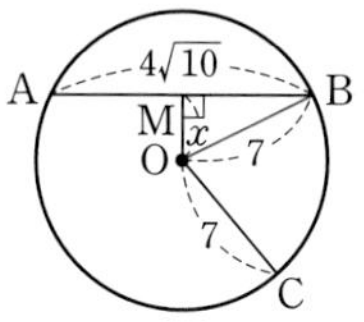

$\overline{OB}=\overline{OC}=7$이고

$\overline{BM}=\dfrac{1}{2}\times4\sqrt{10}=2\sqrt{10}$이므로

$x=\sqrt{7^2-(2\sqrt{10})^2}=3$

0262 $\overline{OC}=\overline{OA}=6$이므로

$\overline{OM}=\dfrac{1}{2}\times6=3$

△OAM에서

$\overline{AM}=\sqrt{6^2-3^2}=\sqrt{27}=3\sqrt{3}$

$\therefore \overline{AB}=2\overline{AM}=2\times3\sqrt{3}=6\sqrt{3}$

---

03 원의 중심과 현의 수직이등분선 (3)　　본문 ◎ 57쪽

0263 $r-2$, $r-2$, 5, 5	**0264** 8	**0265** $\dfrac{15}{2}$
0266 13	**0267** $r-1$, $r-1$, 5, 5	**0268** 7
0269 13	**0270** 9	

0264 오른쪽 그림과 같이 $\overline{OB}$를 긋고

원 O의 반지름의 길이를 r라고 하면

$\overline{OM}=r-4$

△OBM에서 $r^2=(r-4)^2+(4\sqrt{3})^2$

$8r=64$　$\therefore r=8$

따라서 원 O의 반지름의 길이는 8이다.

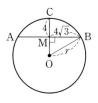

0265 오른쪽 그림과 같이 $\overline{OA}$를 긋고

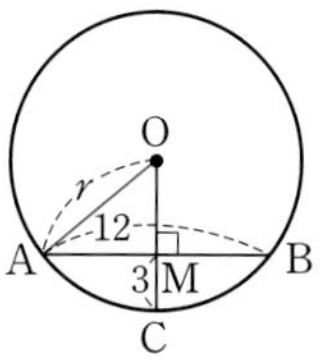

원 O의 반지름의 길이를 r라고 하면

$\overline{OM}=r-3$

$\overline{AM}=\dfrac{1}{2}\times12=6$이므로

△OAM에서

$r^2=6^2+(r-3)^2$

$6r=45$　$\therefore r=\dfrac{15}{2}$

따라서 원 O의 반지름의 길이는 $\dfrac{15}{2}$이다.

0266 오른쪽 그림과 같이 $\overline{OA}$를 긋고

원 O의 반지름의 길이를 r라고 하면

$\overline{OM}=r-1$

$\overline{AM}=\dfrac{1}{2}\times10=5$이므로

△OAM에서 $r^2=(r-1)^2+5^2$

$2r=26$　$\therefore r=13$

따라서 원 O의 반지름의 길이는 13이다.

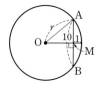

0268 오른쪽 그림과 같이 원의 중심을 O라

하고 $\overline{OB}$, $\overline{OM}$을 긋자.

원 O의 반지름의 길이를 r라고 하면

$\overline{OM}=r-2$

△OBM에서 $r^2=(r-2)^2+(2\sqrt{6})^2$

$4r=28$　$\therefore r=7$

따라서 원 O의 반지름의 길이는 7이다.

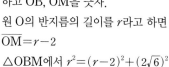

0269 오른쪽 그림과 같이 원의 중심을 O라

하고 $\overline{OA}$, $\overline{OM}$을 긋자.

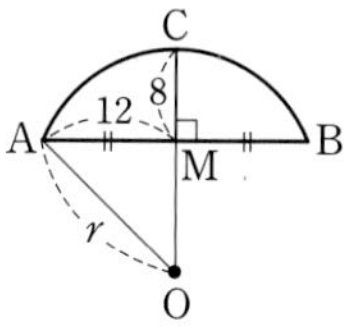

원 O의 반지름의 길이를 r라고 하면

$\overline{OM}=r-8$

$\overline{AM}=\dfrac{1}{2}\times24=12$이므로

△OAM에서 $r^2=12^2+(r-8)^2$

$16r=208$　$\therefore r=13$

따라서 원 O의 반지름의 길이는 13이다.

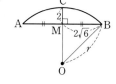

0270 오른쪽 그림과 같이 원의 중심을 O라

하고 $\overline{OA}$, $\overline{OM}$을 긋자.

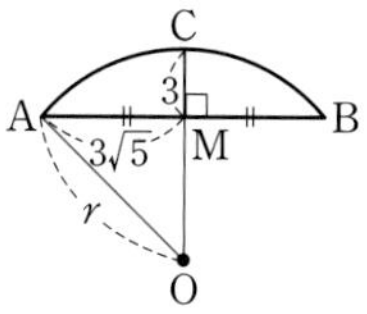

원 O의 반지름의 길이를 r라고 하면

$\overline{OM}=r-3$

△OAM에서 $r^2=(3\sqrt{5})^2+(r-3)^2$

$6r=54$　$\therefore r=9$

따라서 원 O의 반지름의 길이는 9이다.

---

04 현의 길이 (1)　　본문 ◎ 58쪽

0271 8	**0272** 10	**0273** 2	**0274** 6
0275 8, 8, 16, 16		**0276** $4\sqrt{2}$	
0277 1		**0278** $\sqrt{7}$	

0271 $\overline{OM}=\overline{ON}$이므로 $\overline{CD}=\overline{AB}=8$　　$\therefore x=8$

0272 $\overline{AB}=2\times5=10$

$\overline{OM}=\overline{ON}$이므로 $\overline{CD}=\overline{AB}=10$　　$\therefore x=10$

0273 $\overline{AB}=\overline{CD}=4$이므로 $\overline{OM}=\overline{ON}=2$ $\qquad \therefore x=2$

0274 $\overline{AB}=2\times4=8$
$\overline{AB}=\overline{CD}=8$이므로 $\overline{OM}=\overline{ON}=6$ $\qquad \therefore x=6$

0276 $\overline{OM}=\overline{ON}$이므로 $\overline{AB}=\overline{CD}=8$
$\therefore \overline{AM}=\dfrac{1}{2}\overline{AB}=\dfrac{1}{2}\times8=4$
$\triangle AMO$에서 $x=\sqrt{4^2+4^2}=4\sqrt{2}$

0277 $\triangle AOM$에서
$\overline{OM}=\sqrt{2^2-(\sqrt{3})^2}=1$
$\overline{AB}=\overline{CD}=2\times\sqrt{3}=2\sqrt{3}$이므로
$\overline{ON}=\overline{OM}=1$ $\qquad \therefore x=1$

0278 $\overline{CD}=2\overline{CN}=2\times3=6$
$\triangle AMO$에서
$\overline{AM}=\dfrac{1}{2}\overline{AB}=\dfrac{1}{2}\times6=3$
$\overline{OM}=\sqrt{4^2-3^2}=\sqrt{7}$
$\overline{AB}=\overline{CD}$이므로 $\overline{ON}=\overline{OM}=\sqrt{7}$
$\therefore x=\sqrt{7}$

05 현의 길이 (2) 본문 **○** 59쪽

0279 $\overline{AC}$, 50	**0280** 58°	**0281** 50°	**0282** 55°
0283 70°	**0284** 54°	**0285** 60°	

0280 $\overline{OM}=\overline{ON}$이므로 $\overline{AB}=\overline{AC}$
따라서 $\triangle ABC$는 이등변삼각형이므로
$\angle x=58°$

0281 $\overline{OM}=\overline{ON}$이므로 $\overline{AB}=\overline{AC}$
따라서 $\triangle ABC$는 이등변삼각형이므로
$\angle x=180°-2\times65°=50°$

0282 $\overline{OM}=\overline{ON}$이므로 $\overline{AB}=\overline{AC}$
따라서 $\triangle ABC$는 이등변삼각형이므로
$\angle x=\dfrac{1}{2}\times(180°-70°)=55°$

0283 $\overline{OM}=\overline{ON}$이므로 $\overline{AB}=\overline{AC}$
따라서 $\triangle ABC$는 이등변삼각형이므로
$\angle x=\dfrac{1}{2}\times(180°-40°)=70°$

0284 $\overline{OM}=\overline{ON}$이므로 $\overline{AB}=\overline{AC}$
따라서 $\triangle ABC$는 이등변삼각형이므로
$\angle x=\dfrac{1}{2}\times(180°-72°)=54°$

0285 $\overline{OL}=\overline{OM}=\overline{ON}$이므로 $\overline{AB}=\overline{BC}=\overline{CA}$
따라서 $\triangle ABC$는 정삼각형이므로
$\angle x=60°$

핵심 01~05 Mini **Review** Test 본문 **○** 60쪽

0286 15	**0287** ④	**0288** 20π	**0289** $10\sqrt{3}$
0290 10	**0291** $4\sqrt{6}$	**0292** 53°	

0286 $\overline{CD}$가 현 $\overline{AB}$를 수직이등분하므로 원의 중심을 지난다.
따라서 $\overline{CD}$가 원의 지름이므로 반지름의 길이는
$\dfrac{1}{2}\times(24+6)=15$

0287 $\triangle OAM$에서
$\overline{AM}=\sqrt{6^2-4^2}=\sqrt{20}=2\sqrt{5}$
$\therefore \overline{AB}=2\overline{AM}=2\times2\sqrt{5}=4\sqrt{5}$

0288 오른쪽 그림과 같이
$\overline{OA}$를 그으면 $\triangle OAM$에서
$\overline{AM}=\dfrac{1}{2}\overline{AB}=\dfrac{1}{2}\times12=6$이므로
$\overline{OA}=\sqrt{6^2+8^2}=10$
따라서 원 O의 둘레의 길이는
$2\pi\times10=20\pi$

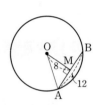

0289 $\triangle OAM$에서
$\overline{AM}=\sqrt{10^2-5^2}=\sqrt{75}=5\sqrt{3}$
$\therefore \overline{AB}=2\overline{AM}=2\times5\sqrt{3}=10\sqrt{3}$

0290 오른쪽 그림과 같이 원의 중심을
O라 하고 $\overline{OA}$, $\overline{OM}$을 긋자.
원 O의 반지름의 길이를 r라고 하
면 $\overline{OM}=r-4$ $\qquad$ ······ ❶
직각삼각형 OAM에서
$r^2=8^2+(r-4)^2$ $\qquad$ ······ ❷
$8r=80$ $\qquad \therefore r=10$
따라서 원 O의 반지름의 길이는 10이다. $\qquad$ ······ ❸

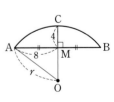

채점 기준	배점
❶ $\overline{OM}$의 길이를 r로 나타내기	30 %
❷ 피타고라스 정리를 적용하여 식 세우기	40 %
❸ 반지름의 길이 r 구하기	30 %

0291 $\triangle$OAM에서 $\overline{AM}=\sqrt{7^2-5^2}=\sqrt{24}=2\sqrt{6}$

$\overline{AB}=2\overline{AM}=2\times2\sqrt{6}=4\sqrt{6}$

$\overline{OM}=\overline{ON}$이므로 $\overline{CD}=\overline{AB}=4\sqrt{6}$

0292 $\overline{OM}=\overline{ON}$이므로 $\overline{AB}=\overline{AC}$

따라서 $\triangle$ABC는 이등변삼각형이므로

$\angle x=\dfrac{1}{2}\times(180°-74°)=53°$

---

06 원의 접선과 반지름 (1) 본문 ◉ 61쪽

0293 60°	**0294** 65°	**0295** 50°	**0296** 55°
0297 90, 180, 180, 120		**0298** 140°	**0299** 50°

0293 $\triangle$OPA에서 $\angle$PAO$=90°$이므로

$\angle x=90°-30°=60°$

0294 $\triangle$OPA에서 $\angle$PAO$=90°$이므로

$\angle x=90°-25°=65°$

0295 $\triangle$OPA에서 $\angle$PAO$=90°$이므로

$\angle x=90°-40°=50°$

0296 $\triangle$OPA에서 $\angle$PAO$=90°$이므로

$\angle x=90°-35°=55°$

0298 $\square$OAPB에서 $\angle$PAO$=\angle$PBO$=90°$이므로

$\angle$AOB$+\angle$APB$=180°$

$\therefore \angle x=180°-40°=140°$

0299 $\square$OAPB에서 $\angle$PAO$=\angle$PBO$=90°$이므로

$\angle$AOB$+\angle$APB$=180°$

$\therefore \angle x=180°-130°=50°$

---

07 원의 접선과 반지름 (2) 본문 ◉ 62쪽

0300 10	**0301** $2\sqrt{10}$	**0302** $2\sqrt{5}$	**0303** $3\sqrt{3}$
0304 9, 9, 144, 12		**0305** 9	**0306** 5
0307 6			

0300 $\triangle$OPA는 $\angle$PAO$=90°$인 직각삼각형이므로

$x=\sqrt{6^2+8^2}=10$

0301 $\triangle$OPA는 $\angle$PAO$=90°$인 직각삼각형이므로

$x=\sqrt{7^2-3^2}=\sqrt{40}=2\sqrt{10}$

0302 $\triangle$OAP는 $\angle$OAP$=90°$인 직각삼각형이므로

$x=\sqrt{6^2-4^2}=\sqrt{20}=2\sqrt{5}$

0303 $\triangle$OAP는 $\angle$OAP$=90°$인 직각삼각형이므로

$x=\sqrt{6^2-3^2}=\sqrt{27}=3\sqrt{3}$

0305 $\triangle$OAP는 $\angle$OAP$=90°$인 직각삼각형이고

$\overline{OB}=\overline{OA}=8$이므로

$x+8=\sqrt{15^2+8^2}=17$ $\therefore x=9$

0306 $\triangle$OAP는 $\angle$OAP$=90°$인 직각삼각형이고

$\overline{OA}=\overline{OB}=x$이므로

$(x+8)^2=x^2+12^2,\ 16x=80$ $\therefore x=5$

0307 $\overline{OA}=\overline{OB}=x$라고 하면 $\overline{OP}=x+6$

$\angle$OAP$=90°$이므로 $\triangle$OAP에서

$(x+6)^2=x^2+(6\sqrt{3})^2$

$x^2+12x+36=x^2+108$

$12x=72$ $\therefore x=6$

---

08 원의 접선의 길이 (1) 본문 ◉ 63쪽

0308 3	**0309** 90, 4, $4\sqrt{3}$, $4\sqrt{3}$	**0310** 12
0311 12	**0312** PBA, 70, 55	**0313** 50°
0314 40°	**0315** $\sqrt{21}$	

0308 $\overline{PB}=\overline{PA}=3$ $\therefore x=3$

0310 $\overline{PB}=\overline{PA}=3\sqrt{15}$

$\triangle$OBP는 $\angle$OBP$=90°$인 직각삼각형이므로

$x=\sqrt{3^2+(3\sqrt{15})^2}=\sqrt{144}=12$

0311 $\triangle$OAP는 $\angle$OAP$=90°$인 직각삼각형이고

$\overline{OC}=\overline{OA}=5$이므로 $\overline{OP}=5+8=13$

$\therefore \overline{PA}=\sqrt{13^2-5^2}=12$

이때 $\overline{PB}=\overline{PA}$이므로 $x=12$

0313 $\overline{PA}=\overline{PB}$에서 $\triangle$APB는 이등변삼각형이므로

$\angle x=180°-2\times65°=50°$

0314 $\overline{PA}=\overline{PB}$에서 $\triangle$APB는 이등변삼각형이므로

$\angle$PAB$=\dfrac{1}{2}\times(180°-80°)=50°$

이때 $\angle$PAO$=90°$이므로

$\angle x=90°-50°=40°$

0315 △OPB는 ∠PBO=90°인 직각삼각형이고
$\overline{OC}=\overline{OB}=2$이므로 $\overline{OP}=3+2=5$
∴ $\overline{PB}=\sqrt{5^2-2^2}=\sqrt{21}$
∴ $\overline{PA}=\overline{PB}=\sqrt{21}$

09 원의 접선의 길이 (2) 본문 ◎ 64쪽

0316 9, 9, 2, 9, 3, 2, 3, 5 **0317** 9 **0318** 7
0319 9 **0320** 20 **0321** 24 **0322** 11
0323 12

0317 $\overline{AF}=\overline{AD}=12$
$\overline{BE}=\overline{BD}=12-10=2$
$\overline{CF}=\overline{CE}=5-2=3$
∴ $x=12-3=9$

0318 $\overline{BE}=\overline{BD}=3$
$\overline{CF}=\overline{CE}=5-3=2$
$\overline{AF}=8+2=10$
$\overline{AD}=\overline{AF}=10$이므로
$x+3=10$ ∴ $x=7$

0319 $\overline{CE}=\overline{CF}=5$
$\overline{BD}=\overline{BE}=8-5=3$
$\overline{AF}=\overline{AD}=11+3=14$이므로
$x+5=14$ ∴ $x=9$

0321 △OAD는 ∠ADO=90°인 직각삼각형이므로
$\overline{AD}=\sqrt{13^2-5^2}=12$
∴ (△ABC의 둘레의 길이)$=2\overline{AD}=24$

0322 (△ABC의 둘레의 길이)$=7+6+9=22$
(△ABC의 둘레의 길이)$=2x=22$ ∴ $x=11$

0323 (△ABC의 둘레의 길이)$=7+8+9=24$
(△ABC의 둘레의 길이)$=2x=24$ ∴ $x=12$

10 반원과 접선 본문 ◎ 65쪽

0324 (1) 4, 9, 4, 9, 13 (2) 12, 12
0325 (1) 16 (2) $4\sqrt{15}$ **0326** (1) 11 (2) $4\sqrt{6}$
0327 풀이 참조, $10-x$, 10, 100, $\dfrac{5}{2}$
0328 2 **0329** $\dfrac{18}{5}$

0325 (1) $\overline{AE}=\overline{AB}=6$, $\overline{ED}=\overline{DC}=10$
∴ $\overline{AD}=6+10=16$
(2) 오른쪽 그림과 같이 점 A에서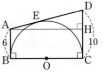
$\overline{CD}$에 내린 수선의 발을
H라고 하면 $\overline{DH}=10-6=4$
△DAH에서
$\overline{AH}=\sqrt{16^2-4^2}=\sqrt{240}=4\sqrt{15}$
∴ $\overline{BC}=\overline{AH}=4\sqrt{15}$

0326 (1) $\overline{AE}=\overline{AB}=8$, $\overline{DE}=\overline{DC}=3$
∴ $\overline{AD}=8+3=11$
(2) 오른쪽 그림과 같이 점 D에서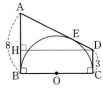
$\overline{AB}$에 내린 수선의 발을 H라고
하면 $\overline{AH}=8-3=5$
△AHD에서
$\overline{DH}=\sqrt{11^2-5^2}=\sqrt{96}=4\sqrt{6}$
∴ $\overline{BC}=\overline{DH}=4\sqrt{6}$

0327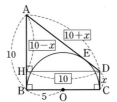

0328 오른쪽 그림과 같이 점 D에서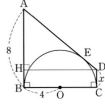
$\overline{AB}$에 내린 수선의 발을 H라고 하면
$\overline{HB}=\overline{DC}=x$이므로
$\overline{AH}=8-x$, $\overline{AD}=8+x$
이때 $\overline{HD}=\overline{BC}=8$이므로
△AHD에서
$(8+x)^2=(8-x)^2+8^2$
$32x=64$ ∴ $x=2$

0329 오른쪽 그림과 같이 점 C에서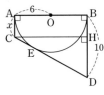
$\overline{BD}$에 내린 수선의 발을 H,
$\overline{AC}=x$라고 하면
$\overline{BH}=\overline{AC}=x$이므로
$\overline{DH}=10-x$, $\overline{CD}=10+x$
이때 $\overline{CH}=\overline{AB}=12$이므로
△HCD에서 $(10+x)^2=(10-x)^2+12^2$
$40x=144$ ∴ $x=\dfrac{18}{5}$
∴ $\overline{AC}=\dfrac{18}{5}$

0330 5, 3, 4, 9　　　**0331** 12

0332 $8-x$, $8-x$, 5　　　**0333** 6　　　**0334** 6, 26

0335 36　　　**0336** 20　　　**0337** 5

0331 $\overline{CF}=\overline{CE}=8$, $\overline{BD}=\overline{BE}=7$
$\overline{AF}=\overline{AD}=11-7=4$
$\therefore x=\overline{AF}+\overline{CF}=4+8=12$

0333 $\overline{CF}=\overline{CE}=x$이므로 $\overline{BD}=\overline{BE}=16-x$
$\overline{AD}=\overline{AF}=10-x$
$\overline{AB}=\overline{AD}+\overline{BD}=(10-x)+(16-x)=14$
$26-2x=14$　　$\therefore x=6$

0335 $(\triangle ABC$의 둘레의 길이$)=2\times(6+7+5)=36$

0336 $(\triangle ABC$의 둘레의 길이$)=2\times(2+5+3)=20$

0337 $\overline{BE}=\overline{BD}=x$라고 하면
$\overline{AF}=\overline{AD}=9-x$, $\overline{CF}=\overline{CE}=8-x$
$\overline{AC}=\overline{AF}+\overline{CF}=(9-x)+(8-x)=7$
$17-2x=7$　　$\therefore x=5$
$\therefore \overline{BE}=5$

0338 3, 3, 5, 4, 3, 5, 3, 4, 5, 1

0339 3　　　**0340** 3　　　**0341** $9+r$, $9+r$, 18, 3, 3

0342 2　　　**0343** 16π

0339 $\overline{BC}=\sqrt{15^2-9^2}=12$
$\overline{BE}=\overline{BD}=r$이므로
$\overline{AF}=\overline{AD}=9-r$, $\overline{CF}=\overline{CE}=12-r$
$\overline{AC}=\overline{AF}+\overline{CF}=(9-r)+(12-r)=15$
$21-2r=15$　　$\therefore r=3$

0340 $\overline{AC}=\sqrt{17^2-15^2}=8$
$\overline{AD}=\overline{AF}=r$이므로
$\overline{BE}=\overline{BD}=15-r$, $\overline{CE}=\overline{CF}=8-r$
$\overline{BC}=\overline{BE}+\overline{CE}=(15-r)+(8-r)=17$
$23-2r=17$　　$\therefore r=3$

0342 $\overline{AD}=\overline{AF}=r$이므로
$\overline{AB}=3+r$, $\overline{AC}=10+r$
직각삼각형 ABC에서
$13^2=(3+r)^2+(10+r)^2$
$r^2+13r-30=0$, $(r+15)(r-2)=0$
$\therefore r=2 \ (\because r>0)$

0343 원의 반지름의 길이를 r라고 하면
$\overline{CE}=\overline{CF}=r$이므로
$\overline{BC}=8+r$, $\overline{CA}=12+r$
직각삼각형 ABC에서
$20^2=(8+r)^2+(12+r)^2$
$r^2+20r-96=0$
$(r+24)(r-4)=0$　　$\therefore r=4 \ (\because r>0)$
$\therefore (원 \ O의 \ 넓이)=\pi\times4^2=16\pi$

0344 8, 12, 6　**0345** 10　　**0346** 5　　**0347** 4

0348 11, 22　**0349** 26　　**0350** 36　　**0351** 22

0345 $\overline{AB}+\overline{CD}=\overline{AD}+\overline{BC}$이므로
$7+x=9+8$　　$\therefore x=10$

0346 $\overline{AB}+\overline{CD}=\overline{AD}+\overline{BC}$이므로
$5+(2+x)=4+8$　　$\therefore x=5$

0347 $\overline{AB}+\overline{CD}=\overline{AD}+\overline{BC}$이므로
$10+7=5+(8+x)$　　$\therefore x=4$

0349 $\overline{AB}+\overline{CD}=\overline{AD}+\overline{BC}=5+8=13$이므로
$(\square ABCD$의 둘레의 길이$)=2\times13=26$

0350 $\overline{AD}+\overline{BC}=\overline{AB}+\overline{CD}=9+9=18$이므로
$(\square ABCD$의 둘레의 길이$)=2\times18=36$

0351 $\overline{AD}+\overline{BC}=\overline{AB}+\overline{CD}$이므로
$(2x+1)+6=(x+2)+7$
$2x+7=x+9$　　$\therefore x=2$
따라서 $\overline{AD}=5$, $\overline{BC}=6$이므로
$(\square ABCD$의 둘레의 길이$)=2\times(5+6)=22$

0352 x, 11, 7, 5   **0353** 11

0354 8, 8, 6, 12   **0355** 20

0356 4, 3, 3, 4, 3, 3   **0357** 4   **0358** 20

0353 $\overline{CF}=\overline{OF}=6$

$\overline{AB}+\overline{CD}=\overline{AD}+\overline{BC}$ 이므로

$15+11=9+(x+6)$

$\therefore x=11$

0355 원의 반지름의 길이가 8이므로

$\overline{DC}=2\times8=16$

$\overline{AB}+\overline{CD}=\overline{AD}+\overline{BC}$ 이므로

$x+16=12+24$ $\therefore x=20$

0357 $\triangle DEC$ 에서 $\overline{EC}=\sqrt{10^2-6^2}=8$ 이므로

$\overline{AD}=\overline{BC}=x+8$

$\square ABED$ 에서 $\overline{AB}+\overline{ED}=\overline{AD}+\overline{BE}$ 이므로

$6+10=(x+8)+x$ $\therefore x=4$

0358 $\triangle DEC$ 에서 $\overline{EC}=\sqrt{17^2-15^2}=8$

$\overline{AD}=\overline{BC}=x$ 라 하면 $\overline{BE}=x-8$

$\square ABED$ 에서 $\overline{AB}+\overline{ED}=\overline{AD}+\overline{BE}$ 이므로

$15+17=x+(x-8),\ 32=2x-8$

$\therefore x=20$

$\therefore \overline{BC}=20$

핵심 06~14 Mini **Review** Test   본문 ◐ 70쪽

0359 $110°$ **0360** 3   **0361** $2\sqrt{10}$ **0362** 6

0363 9   **0364** 4π **0365** 8   **0366** 9

0359 $\square OAPB$ 에서 $\angle PAO=\angle PBO=90°$ 이므로

$\angle APB+\angle AOB=180°$

$\therefore \angle x=180°-70°=110°$

0360 $\overline{OA}=\overline{OB}=x$ 라고 하면 $\overline{OP}=x+3$

$\angle OAP=90°$ 이므로 $\triangle OAP$ 에서

$(x+3)^2=x^2+(3\sqrt{3})^2$

$x^2+6x+9=x^2+27$

$6x=18$ $\therefore x=3$

0361 $\overline{CO}=\overline{BO}=3$ 이므로 $\overline{PO}=4+3=7$

직각삼각형 POB에서 $\overline{PB}=\sqrt{7^2-3^2}=2\sqrt{10}$

$\therefore \overline{PA}=\overline{PB}=2\sqrt{10}$

0362 ($\triangle ABC$의 둘레의 길이)$=11+9+8=28$

$2\overline{AF}=(\triangle ABC$의 둘레의 길이$)=28$

$\therefore \overline{AF}=14$ $\therefore \overline{CF}=14-8=6$

0363 $\overline{BE}=\overline{BD}=8-2=6,\ \overline{AF}=\overline{AD}=2$

$\overline{CE}=\overline{CF}=5-2=3$ 이므로

$\overline{BC}=\overline{BE}+\overline{EC}=6+3=9$

0364 피타고라스 정리에 의해 $\overline{AB}=\sqrt{8^2+6^2}=10$ ⋯⋯❶

원 O의 반지름의 길이를 r 라 하면

$\overline{CE}=\overline{CF}=r,\ \overline{BD}=\overline{BE}=8-r,\ \overline{AD}=\overline{AF}=6-r$

$\overline{AB}=\overline{BD}+\overline{AD}$ 에서

$10=(8-r)+(6-r)$ $\therefore r=2$ ⋯⋯❷

따라서 원 O의 넓이는 $\pi\times2^2=4\pi$ ⋯⋯❸

채점 기준	배점
❶ $\overline{AB}$의 길이 구하기	20 %
❷ 반지름의 길이 구하기	50 %
❸ 원의 넓이 구하기	30 %

0365 $\overline{AB}+\overline{CD}=\overline{AD}+\overline{BC}$ 이므로

$(6+x)+11=9+16$

$17+x=25$ $\therefore x=8$

0366 직각삼각형 DEC에서

$\overline{DE}=\sqrt{5^2+12^2}=13$

원의 지름의 길이가 12이므로 반지름의 길이는 6이다.

즉, $\overline{AD}=6+x,\ \overline{BE}=(6+x)-5=1+x$

$\square ABED$ 에서 $\overline{AB}+\overline{DE}=\overline{AD}+\overline{BE}$ 이므로

$12+13=(6+x)+(1+x)$

$2x=18$ $\therefore x=9$

4. 원주각

본문 ◎ 76쪽

01 원주각과 중심각의 크기 (1)

0367 $\dfrac{1}{2}$, $\dfrac{1}{2}$, 70   **0368** 35°   **0369** 100°

0370 110°   **0371** 2, 2, 120   **0372** 90°

0373 230°   **0374** 150°

0368 $\angle x = \dfrac{1}{2} \times 70° = 35°$

0369 $\angle x = \dfrac{1}{2} \times 200° = 100°$

0370 $\angle x = \dfrac{1}{2} \times (360° - 140°) = 110°$

0372 $\angle x = 2 \times 45° = 90°$

0373 $\angle x = 2 \times 115° = 230°$

0374 $\overarc{AB}$에 대한 원주각의 크기가 105°이므로
$\overarc{AB}$에 대한 중심각의 크기는 $2 \times 105° = 210°$
$\therefore \angle x = 360° - 210° = 150°$

02 원주각과 중심각의 크기 (2)

본문 ◎ 77쪽

0375 2, 2, 100, 100, 40   **0376** 48°   **0377** 20°

0378 30°   **0379** 180, 72, 108, 108, 54   **0380** 58°

0381 36°   **0382** 80°

0376 $\angle AOB = 2\angle APB = 2 \times 42° = 84°$
$\triangle OAB$는 $\overline{OA} = \overline{OB}$인 이등변삼각형이므로
$\angle x = \dfrac{1}{2} \times (180° - 84°) = 48°$

0377 $\angle AOB = 2\angle APB = 2 \times 70° = 140°$
$\triangle OAB$는 $\overline{OA} = \overline{OB}$인 이등변삼각형이므로
$\angle x = \dfrac{1}{2} \times (180° - 140°) = 20°$

0378 $\angle AOB = 2\angle APB = 2 \times 60° = 120°$
$\triangle OAB$는 $\overline{OA} = \overline{OB}$인 이등변삼각형이므로
$\angle x = \dfrac{1}{2} \times (180° - 120°) = 30°$

0380 오른쪽 그림과 같이
$\overline{OA}$, $\overline{OB}$를 그으면
$\angle PAO = \angle PBO = 90°$이므로
$\square AOBP$에서
$\angle AOB = 180° - 64° = 116°$
$\therefore \angle x = \dfrac{1}{2}\angle AOB = \dfrac{1}{2} \times 116° = 58°$

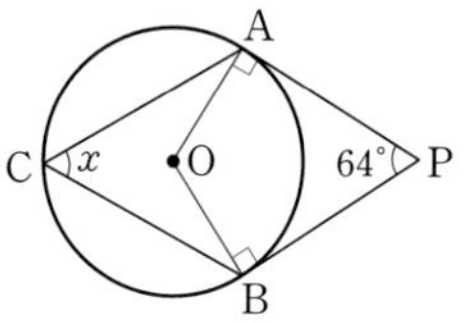

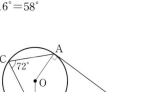

0381 오른쪽 그림과 같이
$\overline{OA}$, $\overline{OB}$를 그으면
$\angle AOB = 2\angle ACB$
$\quad\quad\quad = 2 \times 72° = 144°$
또 $\square AOBP$에서
$\angle PAO = \angle PBO = 90°$이므로
$\angle x = 180° - 144° = 36°$

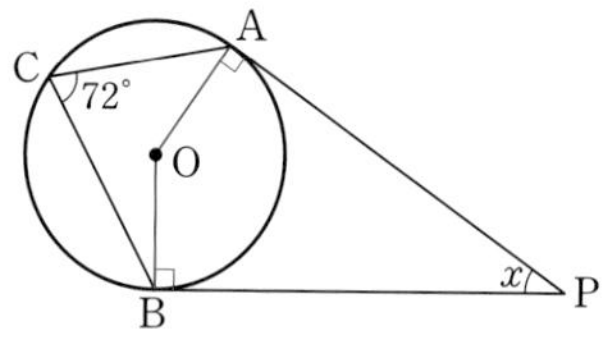

0382 오른쪽 그림과 같이
$\overline{OA}$, $\overline{OB}$를 그으면
$\angle AOB = 2\angle ACB = 2 \times 50° = 100°$
또 $\square APBO$에서
$\angle PAO = \angle PBO = 90°$이므로
$\angle x = 180° - 100° = 80°$

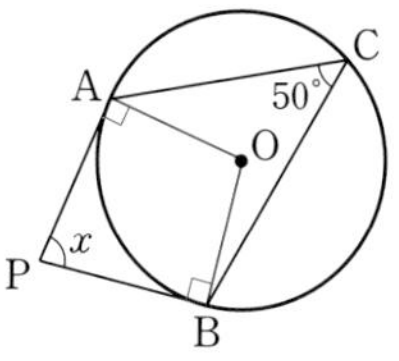

03 원주각과 중심각의 크기 (3)

본문 ◎ 78쪽

0383 50, 60, 110   **0384** 120°   **0385** 28°

0386 25°   **0387** 40, 20, 40, 20, 60, 60, 120

0388 140°   **0389** 130°   **0390** 32°

0384 오른쪽 그림과 같이 $\overline{OB}$를 그으면
$\angle AOB = 2\angle AEB = 2 \times 36° = 72°$
$\angle BOC = 2\angle BDC = 2 \times 24° = 48°$
$\therefore \angle x = \angle AOB + \angle BOC$
$\quad\quad\quad = 72° + 48° = 120°$

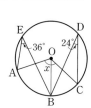

0385 오른쪽 그림과 같이 $\overline{OB}$를 그으면
$\angle AOB = 2\angle AEB = 2 \times 42° = 84°$
$\angle BOC = 140° - 84° = 56°$
$\therefore \angle x = \dfrac{1}{2}\angle BOC = \dfrac{1}{2} \times 56° = 28°$

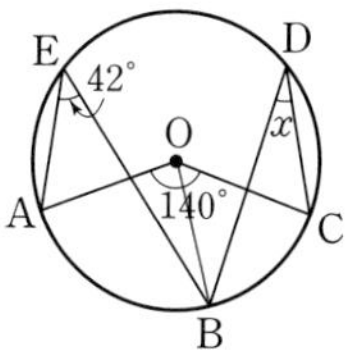

0386 오른쪽 그림과 같이 $\overline{OB}$를 그으면
$\angle BOC=2\angle BDC=2\times32°=64°$
$\angle AOB=114°-64°=50°$
$\therefore \angle x=\dfrac{1}{2}\angle AOB=\dfrac{1}{2}\times50°=25°$

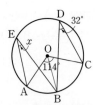

0388 오른쪽 그림과 같이 $\overline{PO}$를 그으면
$\angle APO=\angle PAO=48°$
$\angle OPB=\angle PBO=22°$
$\therefore \angle APB=48°+22°=70°$
$\therefore \angle x=2\angle APB=2\times70°=140°$

0389 오른쪽 그림과 같이 $\overline{PO}$를 그으면
$\angle APO=\angle PAO=27°$
$\angle OPB=\angle PBO=38°$
$\therefore \angle APB=27°+38°=65°$
$\therefore \angle x=2\angle APB=2\times65°=130°$

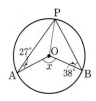

0390 오른쪽 그림과 같이 $\overline{OB}$를 그으면
$\angle BOC=2\angle BDC=2\times30°=60°$
$\angle AOB=124°-60°=64°$
$\therefore \angle x=\dfrac{1}{2}\angle AOB=\dfrac{1}{2}\times64°=32°$

04 원주각의 성질 (1)　　　　　본문 ◐ 79쪽

0391 50°	**0392** 30°	**0393** $\angle x=35°$, $\angle y=45°$
0394 $\angle x=55°$, $\angle y=40°$		**0395** $\angle x=40°$, $\angle y=80°$
0396 $\angle x=50°$, $\angle y=50°$		**0397** $\angle x=48°$, $\angle y=80°$
0398 93°		

0391 $\angle x=\angle ACB=50°$

0392 $\angle x=\angle ACB=30°$

0393 $\angle x=\angle ADB=35°$, $\angle y=\angle DBC=45°$

0394 $\angle x=\angle DBC=55°$, $\angle y=\angle ACB=40°$

0395 $\angle x=\angle ADB=40°$
$\angle y=2\angle x=2\times40°=80°$

0396 $\angle x=\dfrac{1}{2}\angle AOB=\dfrac{1}{2}\times100°=50°$
$\angle y=\angle x=50°$

0397 $\angle x=\angle ACB=48°$
$\triangle DAP$에서 $\angle y=48°+32°=80°$

0398 $\angle x=\angle CAD=20°$
$\angle ACB=\dfrac{1}{2}\angle AOB=\dfrac{1}{2}\times106°=53°$
$\triangle PBC$에서 $\angle y=20°+53°=73°$
$\therefore \angle x+\angle y=20°+73°=93°$

05 원주각의 성질 (2)　　　　　본문 ◐ 80쪽

0399 90, 90, 70	**0400** 40°
0401 60°	**0402** 40°
0403 90, 90, 55	**0404** 65°
0405 50°	**0406** $\angle x=38°$, $\angle y=115°$

0400 $\overline{AB}$가 원 O의 지름이므로 $\angle ACB=90°$
$\therefore \angle x=180°-(90°+50°)=40°$

0401 $\overline{AB}$가 원 O의 지름이므로 $\angle ACB=90°$
$\angle ABC=180°-(90°+30°)=60°$이므로
$\angle x=\angle ABC=60°$

0402 $\overline{AB}$가 원 O의 지름이므로 $\angle ADB=90°$
$\angle DAB=\angle DCB=50°$
$\therefore \angle x=180°-(90°+50°)=40°$

0404 $\overline{AB}$가 원 O의 지름이므로 $\angle ADB=90°$
$\angle CDA=\angle CBA=25°$
$\therefore \angle x=90°-25°=65°$

0405 $\overline{AB}$가 원 O의 지름이므로 $\angle ADB=90°$
$\angle ADC=\angle ABC=\angle x$
$\therefore \angle x=90°-40°=50°$

0406 $\overline{AB}$가 원 O의 지름이므로 $\angle ADB=90°$
$\therefore \angle x=90°-52°=38°$
$\angle ABC=\angle x=38°$이므로 $\triangle PCB$에서
$\angle y=180°-(27°+38°)=115°$

06 원주각의 크기와 호의 길이 (1)　　　　　본문 ◐ 81쪽

0407 APB, 35	**0408** 45	**0409** 5
0410 6	**0411** $\overset{\frown}{BC}$, $\dfrac{1}{2}$, 55, 55	**0412** 60
0413 10	**0414** 8	

0408 $\overline{AB}=\overline{CD}$이므로 $\angle ACB=\angle DBC$

$\therefore x=45$

0409 $\angle CQD=\angle APB$이므로 $\overparen{CD}=\overparen{AB}$

$\therefore x=5$

0410 $\angle CQD=\angle APB$이므로 $\overparen{CD}=\overparen{AB}$

$\therefore x=6$

0412 오른쪽 그림과 같이
$\overline{CP}$를 그으면 $\overparen{AB}=\overparen{BC}$이므로
$\angle BPC=30°$

$\therefore \angle BOC=2\angle BPC=2\times30°=60°$

$\therefore x=60$

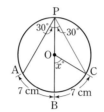

0413 오른쪽 그림과 같이 $\overparen{CD}$에 대한
원주각 $\angle CQD$를 그으면

$\angle CQD=\dfrac{1}{2}\angle COD=\dfrac{1}{2}\times80°=40°$

즉, $\angle APB=\angle CQD$이므로

$\overparen{CD}=\overparen{AB}$ $\therefore x=10$

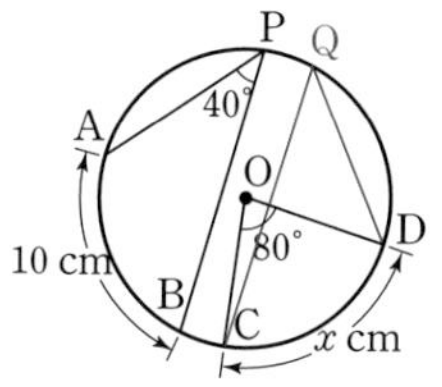

0414 오른쪽 그림과 같이 $\overparen{AB}$에 대한
원주각 $\angle AQB$를 그으면

$\angle AQB=\dfrac{1}{2}\angle AOB=\dfrac{1}{2}\times70°$

$=35°$

즉, $\angle AQB=\angle CPD$이므로

$\overparen{CD}=\overparen{AB}$ $\therefore x=8$

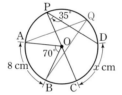

0418 오른쪽 그림과 같이 $\overparen{CD}$에 대한
원주각 $\angle CQD$를 그으면

$\angle CQD=\dfrac{1}{2}\angle COD=\dfrac{1}{2}\times96°=48°$

$\angle APB : \angle CQD=\overparen{AB} : \overparen{CD}$
이므로

$\angle x : 48°=6 : 18$, $\angle x : 48°=1 : 3$

$3\angle x=48°$ $\therefore \angle x=16°$

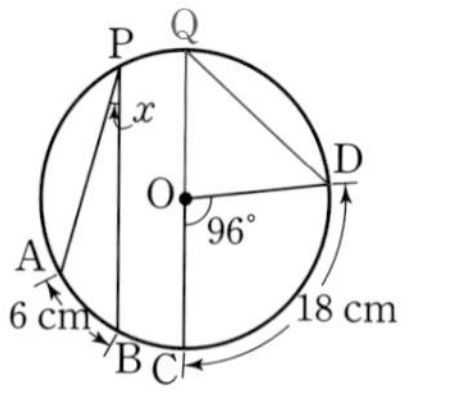

0419 $\angle APB : \angle BPC=\overparen{AB} : \overparen{BC}$이므로

$50° : 30°=15 : x$

$5 : 3=15 : x$

$5x=45$ $\therefore x=9$

0420 $\angle APB : \angle AQC=\overparen{AB} : \overparen{AC}$이므로

$30° : 84°=x : (x+18)$

$5 : 14=x : (x+18)$

$14x=5x+90$, $9x=90$ $\therefore x=10$

0421 $\triangle ABP$에서 $\angle BAP=\angle BDC=50°$

$\angle ABP=90°-50°=40°$

$\angle BAC : \angle ABD=\overparen{BC} : \overparen{AD}$이므로

$50° : 40°=10 : x$

$5 : 4=10 : x$, $5x=40$ $\therefore x=8$

0422 오른쪽 그림과 같이 $\overline{CB}$를 그으면
$\overline{AB}$가 원 O의 지름이므로
$\angle ACB=90°$

$\angle ACB : \angle BAC=\overparen{AB} : \overparen{BC}$이므로

$90° : 30°=12 : x$

$3 : 1=12 : x$

$3x=12$ $\therefore x=4$

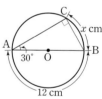

---

07 원주각의 크기와 호의 길이 (2)　　본문 ◎ 82쪽

0415 APB, $\overparen{CD}$, 20, 6, 40　**0416** 30°　**0417** 75°

0418 16°　**0419** 9　**0420** 10　**0421** 8

0422 4

0416 $\angle BAC : \angle ACD=\overparen{BC} : \overparen{AD}$이므로

$\angle x : 45°=10 : 15$

$3\angle x=90°$ $\therefore \angle x=30°$

0417 $\angle APB : \angle AQC=\overparen{AB} : \overparen{AC}$이므로

$25° : \angle x=7 : (7+14)$

$25° : \angle x=1 : 3$

$\therefore \angle x=75°$

---

08 원주각의 크기와 호의 길이 (3)　　본문 ◎ 83쪽

0423 3, 5, 60, 5, 75, 3, 45

0424 $\angle A=60°$, $\angle B=80°$, $\angle C=40°$

0425 $\angle A=90°$, $\angle B=60°$, $\angle C=30°$

0426 3, 60, 6, 30, 90　**0427** 65°　**0428** 100°

0424 $\angle C : \angle A : \angle B=\overparen{AB} : \overparen{BC} : \overparen{CA}$

$=2 : 3 : 4$

$\therefore \angle A=180°\times\dfrac{3}{2+3+4}=60°$

$$\angle B = 180° \times \frac{4}{2+3+4} = 80°$$

$$\angle C = 180° \times \frac{2}{2+3+4} = 40°$$

0425 $\angle C : \angle A : \angle B = \overarc{AB} : \overarc{BC} : \overarc{CA}$
$$= 1 : 3 : 2$$

$$\therefore \angle A = 180° \times \frac{3}{1+3+2} = 90°$$

$$\angle B = 180° \times \frac{2}{1+3+2} = 60°$$

$$\angle C = 180° \times \frac{1}{1+3+2} = 30°$$

0427 $\overline{BC}$를 그으면 $\overarc{AB}$는 원주의 $\frac{1}{4}$이므로

$$\angle ACB = 180° \times \frac{1}{4} = 45°$$

$\overarc{CD}$는 원주의 $\frac{1}{9}$이므로

$$\angle DBC = 180° \times \frac{1}{9} = 20°$$

$$\therefore \angle x = 45° + 20° = 65°$$

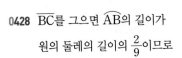

0428 $\overline{BC}$를 그으면 $\overarc{AB}$의 길이가

원의 둘레의 길이의 $\frac{2}{9}$이므로

$$\angle ACB = 180° \times \frac{2}{9} = 40°$$

$\overarc{CD}$의 길이가 원의 둘레의 길이의 $\frac{1}{3}$이므로

$$\angle DBC = 180° \times \frac{1}{3} = 60°$$

$$\therefore \angle x = 40° + 60° = 100°$$

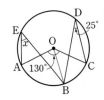

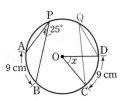

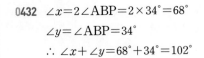

핵심 01~08 Mini **Review** Test　　　　본문 ○ 84쪽

| **0429** $65°$ | **0430** $54°$ | **0431** $40°$ | **0432** $102°$ |
| **0433** $130°$ | **0434** $50°$ | **0435** 12 | **0436** $72°$ |

0429 $\angle AOB = 360° - 230° = 130°$이므로

$$\angle x = \frac{1}{2} \times 130° = 65°$$

0430 $\angle AOB = 2\angle ACB = 2 \times 63° = 126°$이므로

$$\angle x = 180° - 126° = 54°$$

0431 오른쪽 그림과 같이 $\overline{OB}$를 그으면

$$\angle BOC = 2\angle BDC = 2 \times 25° = 50°$$

$$\angle AOB = 130° - 50° = 80°$$

$$\therefore \angle x = \frac{1}{2}\angle AOB = \frac{1}{2} \times 80° = 40°$$

0432 $\angle x = 2\angle ABP = 2 \times 34° = 68°$

$$\angle y = \angle ABP = 34°$$

$$\therefore \angle x + \angle y = 68° + 34° = 102°$$

0433 $\overline{CD}$가 원의 지름이므로 $\angle CBD = 90°$

$$\angle ABC = \angle ADC = 32°$$

$$\therefore \angle x = 90° - 32° = 58°$$

$$\angle y = 40° + 32° = 72°$$

$$\therefore \angle x + \angle y = 58° + 72° = 130°$$

0434 오른쪽 그림과 같이

$\overarc{CD}$의 원주각 CQD를 그으면

$\overarc{AB} = \overarc{CD}$이므로

$$\angle CQD = \angle APB = 25°$$

$$\therefore \angle x = 2\angle CQD = 2 \times 25° = 50°$$

0435 $\angle APB : \angle AQC = \overarc{AB} : \overarc{AC}$이므로

$30° : 75° = 8 : (8+x)$ 　　　……❶

$2 : 5 = 8 : (8+x)$

$16 + 2x = 40$ 　　$\therefore x = 12$ 　　……❷

채점 기준	배점
❶ 비례식 세우기	50 %
❷ x의 값 구하기	50 %

0436 $\angle C : \angle A : \angle B = \overarc{AB} : \overarc{BC} : \overarc{CA} = 6 : 5 : 4$

따라서 △ABC의 가장 큰 내각인 ∠C의 크기는

$$\angle C = 180° \times \frac{6}{6+5+4} = 72°$$

09 네 점이 한 원 위에 있을 조건　　　본문 ○ 85쪽

| **0437** ○ | **0438** × | **0439** ○ | **0440** × |
| **0441** $50°$ | **0442** $40°$ | **0443** $50°$ | **0444** $95°$ |

0437 $\angle ADB = \angle ACB$이므로 네 점 A, B, C, D는 한 원 위에 있다.

0438 $\angle ADB \neq \angle ACB$이므로 네 점 A, B, C, D는 한 원 위에 있지 않다.

0439 $\angle ADB = 180° - (75° + 65°) = 40°$

따라서 $\angle ADB = \angle ACB$이므로 네 점 A, B, C, D는 한 원 위에 있다.

0440 ∠ADB$=180°-(30°+110°)=40°$
따라서 ∠ADB≠∠ACB이므로 네 점 A, B, C, D는 한 원 위에 있지 않다.

0441 네 점 A, B, C, D가 한 원 위에 있으려면
∠ACB=∠ADB이어야 하므로
∠$x=50°$

0442 ∠ACD$=100°-60°=40°$
네 점 A, B, C, D가 한 원 위에 있으려면
∠$x=40°$

0443 네 점 A, B, C, D가 한 원 위에 있으려면
∠DBC=∠DAC이어야 하므로
∠DBC$=35°$
∴ ∠$x=180°-(95°+35°)=50°$

0444 네 점 A, B, C, D가 한 원 위에 있으려면
∠BDC=∠BAC이어야 하므로
∠BDC$=25°$
∴ ∠$x=70°+25°=95°$

---

⑩ 원에 내접하는 사각형의 성질 (1)　　　본문 ○ 86쪽

0445 80, 100, 85, 95　　**0446** ∠$x=70°$, ∠$y=85°$
0447 ∠$x=75°$, ∠$y=105°$　**0448** ∠$x=55°$, ∠$y=125°$
0449 ∠$x=115°$, ∠$y=230°$　**0450** ∠$x=72°$, ∠$y=144°$
0451 ∠$x=80°$, ∠$y=100°$　**0452** 110°

0446 ∠$x+110°=180°$이므로 ∠$x=70°$
∠$y+95°=180°$이므로 ∠$y=85°$

0447 △ABC에서 ∠$x=180°-(60°+45°)=75°$
∠$x+$∠$y=180°$이므로
∠$y=180°-$∠$x=180°-75°=105°$

0448 ∠BAC$=90°$이므로 △ABC에서
∠$x=180°-(90°+35°)=55°$
∠$x+$∠$y=180°$이므로
∠$y=180°-$∠$x=180°-55°=125°$

0449 ∠$x+65°=180°$이므로 ∠$x=115°$
∠$y=2$∠$x=2×115°=230°$

0450 ∠$x+108°=180°$이므로 ∠$x=72°$
∠$y=2$∠$x=2×72°=144°$

0451 ∠$x=\dfrac{1}{2}$∠BOD$=\dfrac{1}{2}×160°=80°$
∠$x+$∠$y=180°$이므로
∠$y=180°-$∠$x=180°-80°=100°$

0452 $\overline{AB}=\overline{AC}$이므로
∠ABC$=\dfrac{1}{2}×(180°-40°)=70°$
□ABCD가 원에 내접하므로
$70°+$∠$x=180°$ ∴ ∠$x=110°$

---

⑪ 원에 내접하는 사각형의 성질 (2)　　　본문 ○ 87쪽

0453 85°　　**0454** 105°　　**0455** 55°　　**0456** 25°
0457 ∠$x=75°$, ∠$y=75°$　**0458** ∠$x=100°$, ∠$y=100°$
0459 ∠$x=35°$, ∠$y=85°$　**0460** 100°

0453 ∠$x=$∠BAD$=85°$

0454 ∠$x=$∠ABE$=105°$

0455 ∠BAD=∠DCE$=100°$이므로
$45°+$∠$x=100°$ ∴ ∠$x=55°$

0456 ∠ADC=∠ABE$=90°$이므로
$65°+$∠$x=90°$ ∴ ∠$x=25°$

0457 △ABC에서
∠$x=40°+35°=75°$
∴ ∠$y=$∠$x=75°$

0458 ∠$x=\dfrac{1}{2}$∠BOD$=\dfrac{1}{2}×200°=100°$
∴ ∠$y=$∠$x=100°$

0459 ∠$x=$∠ACB$=35°$
∠ADC$=35°+50°=85°$이므로
∠$y=$∠ADC$=85°$

0460 ∠ABC=∠CDE$=60°$이므로
∠$x+35°=60°$ ∴ ∠$x=25°$

$\overline{BC}$가 원 O의 지름이므로 $\angle BDC=90°$

$\triangle DBC$에서 $\angle BCD=90°-35°=55°$

$\angle DAB+\angle BCD=180°$이므로

$\angle y=180°-55°=125°$

$\therefore \angle y-\angle x=125°-25°=100°$

---

12 사각형이 원에 내접하기 위한 조건　　　본문 **○** 88쪽

0461 ○	**0462** ×	**0463** ○	**0464** ○
0465 $\angle x=90°$, $\angle y=65°$		**0466** $\angle x=64°$, $\angle y=108°$	
0467 $\angle x=75°$, $\angle y=70°$		**0468** 45°	

0461 $\angle A+\angle C=108°+72°=180°$이므로

□ABCD는 원에 내접한다.

0462 $\angle A \neq \angle DCE$이므로 □ABCD는 원에 내접하지 않는다.

0463 $\triangle ABC$에서 $\angle B=180°-(65°+60°)=55°$

$\angle B+\angle D=55°+125°=180°$이므로

□ABCD는 원에 내접한다.

0464 $\triangle ABC$에서 $\angle BAC=180°-(60°+30°)=90°$

$\angle BDC=\angle BAC=90°$이므로

□ABCD는 원에 내접한다.

0465 □ABCD가 원에 내접하려면

$\angle A+\angle C=180°$, $\angle B+\angle D=180°$이어야 하므로

$\angle x+90°=180°$　　$\therefore \angle x=90°$

$\angle y+115°=180°$　　$\therefore \angle y=65°$

0466 □ABCD가 원에 내접하려면

$\angle ABC=\angle ADE$, $\angle DCF=\angle BAD$이어야 하므로

$\angle x=64°$, $\angle y=108°$

0467 $\triangle DBC$에서 $\angle BDC=180°-(40°+65°)=75°$

□ABCD가 원에 내접하려면

$\angle BAC=\angle BDC$이어야 하므로 $\angle x=75°$

$\angle ACB=\angle ADB=30°$이어야 하므로

$\angle y=40°+30°=70°$

0468 $\angle A=\angle DCE$이므로 □ABCD는 원에 내접한다.

$\therefore \angle x=\angle ACB=45°$

---

13 접선과 현이 이루는 각 (1)　　　본문 **○** 89쪽

0469 55°	**0470** 35°	**0471** 76°	**0472** 30°
0473 80°	**0474** 60°	**0475** 90, 90, 62	
0476 38°			

0469 $\angle x=\angle BAT=55°$

0470 $\angle x=\angle ABC=35°$

0471 $\triangle ABC$에서 $\angle BCA=180°-(70°+34°)=76°$

$\therefore \angle x=\angle BCA=76°$

0472 $\angle BCA=\angle BAT=110°$

$\triangle ABC$에서 $\angle x=180°-(40°+110°)=30°$

0473 $\angle CBA=\angle CAT=40°$이므로

$\angle x=2\angle CBA=2\times40°=80°$

0474 $\angle BCA=\dfrac{1}{2}\times120°=60°$이므로

$\angle x=\angle BCA=60°$

0476 $\overline{BC}$가 원 O의 지름이므로 $\angle CAB=90°$

$\angle ABC=\angle TAC=52°$

$\triangle ABC$에서 $\angle x=180°-(90°+52°)=38°$

---

14 접선과 현이 이루는 각 (2)　　　본문 **○** 90쪽

0477 40, 40, 70	**0478** 50°	**0479** 20°
0480 90, 60, 30, 60, 30, 30	**0481** 50°	**0482** 20°

0478 $\triangle APB$에서 $\angle ABP=85°-35°=50°$

$\therefore \angle x=\angle ABP=50°$

0479 $\angle ABP=\angle ACB=30°$

$\triangle ABP$에서 $\angle x=50°-30°=20°$

0481 오른쪽 그림과 같이 $\overline{BC}$를 그으면

$\angle ABC=90°$이므로

$\angle CBP=180°-(90°+70°)=20°$

$\angle ACB=\angle ABT=70°$이므로

$\triangle CBP$에서

$$\angle x=\angle ACB-\angle CBP$$
$$=70°-20°=50°$$

0482 오른쪽 그림과 같이 $\overline{AB}$를
그으면 $\angle ABC=90°$이므로
$\triangle ABC$에서

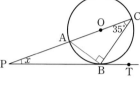

$$\angle CAB=180°-(90°+35°)$$
$$=55°$$
$\angle ABP=\angle ACB=35°$이므로
$\triangle APB$에서
$$\angle x=\angle CAB-\angle ABP=55°-35°=20°$$

---

15 접선과 현이 이루는 각 (3)　　　　본문 ◐ 91쪽

0483 (1) $\angle ATP$, $\angle CTQ$, $\angle CDT$　(2) $60°$
　　　(3) $\angle BTQ$, $\angle DTP$, $\angle DCT$　(4) $70°$
0484 (1) $\angle CDT$, $\angle CTQ$　(2) $50°$
　　　(3) $\angle DCT$, $\angle DTP$　(4) $65°$
0485 $60°$　　**0486** $85°$　　**0487** $65°$　　**0488** $30°$

0483 (2) $\angle x=\underset{\text{맞꼭지각}}{\underline{\angle ATP=\angle CTQ}}=\angle CDT=60°$
　　　(4) $\angle y=\angle BTQ=\angle DTP=\angle DCT=70°$

0484 (2) $\angle x=\angle CTQ=\angle CDT=50°$
　　　(4) $\angle y=\angle DTP=\angle DCT=65°$

0485 $\angle DCT=\angle BAT=75°$
　　$\therefore \angle x=180°-(75°+45°)=60°$

0486 $\triangle CDT$에서 $\angle DCT=180°-(45°+50°)=85°$
　　$\therefore \angle x=\angle DCT=85°$

0487 $\triangle DCT$에서
　　$\angle CDT=\angle BAT=50°$
　　$\angle DCT=180°-115°=65°$
　　$\therefore \angle x=180°-(50°+65°)=65°$

0488 $\triangle CDT$에서
　　$\angle DCT=\angle DTQ=75°$
　　$\angle CDT=\angle ABT=75°$
　　$\therefore \angle x=180°-(75°+75°)=30°$

0489 ④　　　　**0490** ③　　　　**0491** ⑤
0492 $\angle x=36°$, $\angle y=60°$　　**0493** $40°$　　**0494** $40°$
0495 $45°$

0489 $\triangle BCD$에서 $\angle C=180°-(35°+40°)=105°$
　　□$ABCD$가 원에 내접하므로 $\angle x+\angle C=180°$
　　$\therefore \angle x=180°-105°=75°$

0490 $\angle x=\angle BDC=50°$
　　$\angle y=\angle BAD=50°+30°=80°$
　　$\therefore \angle x+\angle y=50°+80°=130°$

0491 ② $\angle BCD=180°-(40°+30°)=110°$
　　　$\therefore \angle A+\angle C=70°+110°=180°$
　　　따라서 원에 내접한다.
　　⑤ $\angle B+\angle D=95°+95°=190°$
　　　따라서 원에 내접하지 않는다.

0492 $\angle x=\angle ABC=36°$
　　$\angle y=\angle ACB=180°-(84°+36°)=60°$

0493 $\angle BDA=\angle BAT=35°$
　　□$ABCD$는 원에 내접하므로 $\angle B+\angle D=180°$에서
　　$\angle x=180°-(55°+35°+50°)=40°$

0494 $\overline{BC}$를 그으면
　　$\angle ACB=\angle ABT=65°$, $\angle ABC=90°$

　　　　　　　　　　　　　　　　…… ❶
　　$\therefore \angle BAC=180°-(65°+90°)=25°$
　　　　　　　　　　　　　　　　…… ❷
　　$\triangle ABP$에서 $\angle x=65°-25°=40°$　　…… ❸

채점 기준	배점
❶ $\angle ACB$, $\angle ABC$의 크기 각각 구하기	30 %
❷ $\angle BAC$의 크기 구하기	30 %
❸ $\angle x$의 크기 구하기	40 %

0495 $\triangle DPB$에서
　　$\angle DBP=\angle PAC=80°$
　　$\therefore \angle DPB=180°-(80°+55°)=45°$
　　$\therefore \angle x=45°$

5. 대푯값

본문 ◎ 97쪽

01 대푯값-평균

0496 4, 20, 20, 4, 5   **0497** 5   **0498** 4
0499 8   **0500** 10   **0501** 3, 4, 1, 10, 70, 10, 7
0502 25점   **0503** 73점   **0504** 2.5권

0502 $(평균)=\dfrac{10\times3+20\times5+30\times5+40\times3}{16}$

$\qquad\quad=\dfrac{400}{16}=25(점)$

0503 $(평균)=\dfrac{70\times4+75\times6}{4+6}=\dfrac{730}{10}=73(점)$

0504 $(평균)=\dfrac{1\times4+2\times7+3\times5+4\times3+5\times1}{20}$

$\qquad\quad=\dfrac{50}{20}=2.5(권)$

02 평균이 주어졌을 때 변량 구하기

본문 ◎ 98쪽

0505 5, 12, 60, 25   **0506** 9   **0507** 20
0508 20   **0509** 19   **0510** 4, 6, 2   **0511** 4
0512 6   **0513** 8   **0514** 11

0509 $\dfrac{20+26+28+x+33+36+2x+40}{8}=30$이므로

$3x+183=240,\ 3x=57 \qquad \therefore x=19$

0511 $x+y+z=15$이므로 2, x, y, z, 3의 평균은

$\dfrac{2+x+y+z+3}{5}=\dfrac{2+15+3}{5}=\dfrac{20}{5}=4$

0512 $\dfrac{a+b}{2}=4$에서 $a+b=8$

10, a, b, 6의 평균은

$\dfrac{10+a+b+6}{4}=\dfrac{10+8+6}{4}=\dfrac{24}{4}=6$

0513 $\dfrac{x+y+z}{3}=6$에서 $x+y+z=18$

$x+2$, $y+2$, $z+2$의 평균은

$\dfrac{x+2+y+2+z+2}{3}=\dfrac{x+y+z+6}{3}=\dfrac{18+6}{3}=\dfrac{24}{3}=8$

0514 $\dfrac{a+b+c}{3}=10$에서 $a+b+c=30$

a, b, c, 9, 16의 평균은

$\dfrac{a+b+c+9+16}{5}=\dfrac{30+9+16}{5}=\dfrac{55}{5}=11$

03 대푯값-중앙값

본문 ◎ 99쪽

0515 5, 8, 12, 21, 24, 12   **0516** 5   **0517** 17
0518 5   **0519** 8   **0520** 20, 30, 40, 50, 35
0521 13   **0522** 5   **0523** 14.5   **0524** 18회

0516 2, 3, ⑤, 6, 10

0517 8, 12, 14, ⑰, 18, 20, 24

0518 2, 3, 4, 5, ⑤, 8, 9, 11, 13

0519 3, 4, 5, 7, ⑧, 10, 10, 11, 15

0521 12와 14의 평균인 13이 중앙값이다.

0522 2, 3, ④, ⑥, 8, 10이므로 4와 6의 평균인 5가 중앙값이다.

0523 2, 9, 10, ⑭, ⑮, 15, 18, 29이므로 14와 15의 평균인 14.5가 중앙값이다.

0524 선수가 9명이므로 구하는 중앙값은 횟수가 적은 쪽에서 5번째인 선수의 횟수와 같다. 따라서 18회이다.

04 중앙값이 주어졌을 때 변량 구하기

본문 ◎ 100쪽

0525 26   **0526** 10, 12   **0527** 6   **0528** 30
0529 19   **0530** 15, 15, 5, 15, 75, 22
0531 20   **0532** 19   **0533** 16   **0534** 60

0527 $\dfrac{x+7}{2}=6.5$이므로 $x+7=13 \qquad \therefore x=6$

0528 $\dfrac{20+x}{2}=25$이므로 $20+x=50 \qquad \therefore x=30$

0529 $\dfrac{17+x}{2}=18$이므로 $17+x=36 \qquad \therefore x=19$

0531 중앙값이 10이므로 평균도 10이다.

$$(평균)=\frac{2+6+10+12+x}{5}=10$$

$$30+x=50 \qquad \therefore x=20$$

0532 중앙값이 $\frac{16+18}{2}=17$이므로 평균도 17이다.

$$(평균)=\frac{15+16+18+x}{4}=17$$

$$49+x=68 \qquad \therefore x=19$$

0533 중앙값이 $\frac{12+16}{2}=14$이므로 평균도 14이다.

$$(평균)=\frac{9+11+12+16+x+20}{6}=14$$

$$68+x=84 \qquad \therefore x=16$$

0534 중앙값이 $\frac{40+50}{2}=45$이므로 평균도 45이다.

$$(평균)=\frac{20+20+40+50+x+80}{6}=45$$

$$210+x=270 \qquad \therefore x=60$$

05 대푯값 – 최빈값 본문 ○ 101쪽

0535 1, 1	**0536** 30	**0537** 6	**0538** B
0539 야구	**0540** 2, 3, 2, 3		**0541** 없다
0542 3, 4	**0543** 2, 4, 8	**0544** 4	

0539 야구가 4개로 가장 많다.

0544 7개의 변량 2, 3, 4, 4, 5, 5, 5에서 변량 4의 개수는 2, 변량 5의 개수는 3이다. 이때 □를 포함한 8개의 변량의 최빈값이 2개가 되려면 변량 4의 개수가 3이 되어야 한다.

$$\therefore \square=4$$

06 대푯값 종합 본문 ○ 102쪽

0545 12, 12, 7, 12, 84, 11		**0546** 22	
0547 ×	**0548** ○	**0549** ○	**0550** ×
0551 ×	**0552** ○	**0553** 14	

0546 변량 25가 3개이므로 x의 값에 상관없이 최빈값은 25시간이다.
따라서 평균도 25시간이므로

$$\frac{24+25+26+25+28+x+25}{7}=25$$

$$\frac{153+x}{7}=25, \ 153+x=175$$

$$\therefore x=22$$

0547 대푯값 중에서 가장 많이 쓰이는 것은 평균이다.

0550 변량의 개수가 짝수인 자료의 중앙값은 변량과 다를 수 있다.

0551 매우 크거나 매우 작은 값이 있는 경우 대푯값으로 중앙값이 적절하다.

0553 변량 9가 3개이므로 x의 값에 상관없이 최빈값은 9이다.
따라서 평균도 9이므로

$$\frac{10+x+9+9+9+5+7}{7}=9$$

$$\frac{49+x}{7}=9, \ 49+x=63$$

$$\therefore x=14$$

핵심 01~06 Mini **Review** Test 본문 ○ 103쪽

0554 12	**0555** ③	**0556** ④	**0557** 20회
0558 6	**0559** 24.5	**0560** 9	**0561** ③, ⑤

0554 $$\frac{7+13+11+14+12+15}{6}=\frac{72}{6}=12$$

0555 $\frac{a+b+c}{3}=12$에서 $a+b+c=36$

11, a, b, c, 13의 평균은

$$\frac{11+a+b+c+13}{5}=\frac{11+36+13}{5}=\frac{60}{5}=12$$

0556 3회에 걸쳐 본 수학 시험 점수의 평균이 88점이므로
3회까지의 총점은 $88\times 3=264$(점)이다.
4회째 시험 점수를 x점이라 할 때 4회까지의 시험 점수의 평균이 90점이 되려면

$$\frac{264+x}{4}=90$$

$$264+x=360 \qquad \therefore x=96$$

따라서 4회째 시험에서 96점을 받아야 한다.

0557 학생이 10명이므로 구하는 중앙값은 횟수가 적은 쪽에서 5번째와 6번째인 학생의 횟수의 평균과 같다.
5번째 학생의 횟수는 18회, 6번째 학생의 횟수는 22회이므로

중앙값은 $\frac{18+22}{2}=20$(회)이다.

0558 중앙값은 $\dfrac{16+20}{2}=18$이므로 평균도 18이다. ...... ❶

즉, $\dfrac{x+15+16+20+21+30}{6}=18$ ...... ❷

$x+102=108$ $\therefore x=6$ ...... ❸

채점 기준	배점
❶ 중앙값을 구하여 평균 알기	40 %
❷ 평균 구하는 식 세우기	40 %
❸ x의 값 구하기	20 %

0559 주어진 변량을 크기가 작은 순서대로 나열하면

6, 12, 12, 13, 20, 30

따라서 중앙값은 $\dfrac{12+13}{2}=12.5$이고, 최빈값은 12이므로

구하는 합은

$12.5+12=24.5$

0560 변량 8이 3개이므로 x의 값에 상관없이 최빈값은 8점이다.

따라서 평균도 8점이므로

$\dfrac{8+x+3+6+8+10+8+12}{8}=8$

$\dfrac{55+x}{8}=8,\ 55+x=64$

$\therefore x=9$

0561 ③ 변량의 개수가 짝수이면 가운데 두 변량의 평균이 중앙값
이다.

⑤ 평균은 자료 전체를 이용하여 구한다.

6. 산포도

본문 ● 107쪽

01 편차 (1)

0562 $2, -2, -3, 3, $ 변량, 평균, $-2, 3$
0563 $-2, 0, 1, 1$ **0564** $-1, 4, -2, -1$
0565 $-5, 2, 3, 0$ **0566** $-0.5, 1, -1, 0.5$
0567 $-10, -5, 0, 5, 10, 15, -5, 10$
0568 $-4, -2, 0, 2, 4$ **0569** $-1, -3, 3, 0, 1$
0570 $-24, -14, 2, 16, 20$ **0571** -10

0568 (평균) $=\dfrac{62+64+66+68+70}{5}=\dfrac{330}{5}=66$

따라서 편차를 차례대로 구하면

$-4, -2, 0, 2, 4$

0569 (평균) $=\dfrac{8+6+12+9+10}{5}=\dfrac{45}{5}=9$

따라서 편차를 차례대로 구하면

$-1, -3, 3, 0, 1$

0570 (평균) $=\dfrac{36+46+62+76+80}{5}=\dfrac{300}{5}=60$

따라서 편차를 차례대로 구하면

$-24, -14, 2, 16, 20$

0571 5개의 변량의 평균을 구하면

$\dfrac{40+50+80+90+90}{5}=\dfrac{350}{5}=70$

따라서 편차를 차례대로 구하면

$-30, -20, 10, 20, 20$

따라서 $a=-30,\ b=20$이므로

$a+b=(-30)+20=-10$

02 편차 (2)

본문 ● 108쪽

0572 $0, 0, 2$ **0573** 3 **0574** 1
0575 -1 **0576** 1 **0577** $-4, 41, 41, -4, 37$
0578 $x=39,\ y=1$ **0579** $x=70,\ y=-2$
0580 $x=15,\ y=1$ **0581** 113

0578 편차의 합이 0이므로 $y=1$

변량 41에 대한 편차가 3이므로

$41-($평균$)=3$ $\therefore ($평균$)=38$

$x-38=1$ $\therefore x=39$

0579 편차의 합이 0이므로 $y=-2$

변량 81에 대한 편차가 9이므로

$81-(\text{평균})=9$ $\quad\therefore (\text{평균})=72$

$x-72=-2$ $\quad\therefore x=70$

0580 편차의 합이 0이므로 $y=1$

변량 16에 대한 편차가 2이므로

$16-(\text{평균})=2$ $\quad\therefore (\text{평균})=14$

$x-14=1$ $\quad\therefore x=15$

0581 편차의 합이 0이므로 $y=-3$

변량 60에 대한 편차가 2이므로

$60-(\text{평균})=2$ $\quad\therefore (\text{평균})=58$

$x-58=-3$에서 $x=55$

$z-58=3$에서 $z=61$

$\therefore x+y+z=55+(-3)+61=113$

0589 편차의 합은 0이므로 $x=-6$

$\therefore (\text{분산})=\dfrac{9+9+36+25+1}{5}=\dfrac{80}{5}=16$

$(\text{표준편차})=\sqrt{16}=4$

0590 편차의 합은 0이므로 $3x+6=0$ $\quad\therefore x=-2$

$\therefore (\text{분산})=\dfrac{4+16+16+25+9}{5}=\dfrac{70}{5}=14$

$(\text{표준편차})=\sqrt{14}$

0591 편차의 합은 0이므로 $x=-2$

따라서 줄넘기 횟수의 편차가

$-5, 3, -2, 0, 0, 4$

이므로 $(\text{분산})=\dfrac{25+9+4+0+0+16}{6}=\dfrac{54}{6}=9$

$\therefore (\text{표준편차})=\sqrt{9}=3(\text{회})$

---

03 분산과 표준편차 (1) 본문 ◎ 109쪽

0582 121, 49, 121, 49, 320, 64, 64, 8
0583 2, $\sqrt{2}$ **0584** 6, $\sqrt{6}$ **0585** 10, $\sqrt{10}$
0586 4, 2 **0587** 0, 1, 0, 30, 6, 6
0588 10, $\sqrt{10}$ **0589** 16, 4
0590 14, $\sqrt{14}$ **0591** 3회

0583 $(\text{분산})=\dfrac{4+1+4+0+1}{5}=\dfrac{10}{5}=2$

$(\text{표준편차})=\sqrt{2}$

0584 $(\text{분산})=\dfrac{0+1+4+16+9}{5}=\dfrac{30}{5}=6$

$(\text{표준편차})=\sqrt{6}$

0585 $(\text{분산})=\dfrac{16+25+0+9+1+9}{6}=\dfrac{60}{6}=10$

$(\text{표준편차})=\sqrt{10}$

0586 $(\text{분산})=\dfrac{4+9+1+1+4+4+0+9}{8}=\dfrac{32}{8}=4$

$(\text{표준편차})=\sqrt{4}=2$

0588 편차의 합은 0이므로 $x=2$

$\therefore (\text{분산})=\dfrac{25+16+4+1+4}{5}=\dfrac{50}{5}=10$

$(\text{표준편차})=\sqrt{10}$

---

04 분산과 표준편차 (2) 본문 ◎ 110쪽

0592 60, 15, -2, 2, -2, 2, 4, 4, 16, 4, 4, 2
0593 $2\sqrt{2}$ **0594** 2
0595 a, -1, 0, 1, 0, 1, $\dfrac{2}{3}$, $\dfrac{2}{3}$, $\dfrac{\sqrt{6}}{3}$
0596 $\sqrt{10}$ **0597** 8, 9, 6, 5, 5, 16, 16, 4
0598 $2\sqrt{3}$ **0599** $\sqrt{10}$ **0600** 8 **0601** 2회

0593 $(\text{평균})=\dfrac{31+23+27+29+30}{5}=\dfrac{140}{5}=28$이므로

편차를 차례대로 나열하면 3, -5, -1, 1, 2

$(\text{분산})=\dfrac{9+25+1+1+4}{5}=\dfrac{40}{5}=8$

$\therefore (\text{표준편차})=\sqrt{8}=2\sqrt{2}$

0594 $(\text{평균})=\dfrac{12+14+18+16+15}{5}=\dfrac{75}{5}=15$이므로

편차를 차례대로 나열하면 -3, -1, 3, 1, 0

$(\text{분산})=\dfrac{9+1+9+1+0}{5}=\dfrac{20}{5}=4$

$\therefore (\text{표준편차})=\sqrt{4}=2$

0596 $(\text{평균})=\dfrac{(a-4)+(a-2)+(a+2)+(a+4)}{4}=\dfrac{4a}{4}=a$

편차를 차례대로 나열하면 -4, -2, 2, 4

$(\text{분산})=\dfrac{16+4+4+16}{4}=\dfrac{40}{4}=10$

$\therefore (\text{표준편차})=\sqrt{10}$

0598 평균이 8이므로

$$(평균) = \frac{4+13+7+5+x}{5} = 8$$

$$29 + x = 40 \qquad \therefore x = 11$$

편차를 차례대로 나열하면 $-4, 5, -1, -3, 3$

이므로 $(분산) = \frac{16+25+1+9+9}{5} = \frac{60}{5} = 12$

$$\therefore (표준편차) = \sqrt{12} = 2\sqrt{3}$$

0599 평균이 7이므로

$$(평균) = \frac{8+11+x+5+2}{5} = 7$$

$$26 + x = 35 \qquad \therefore x = 9$$

편차를 차례대로 나열하면 $1, 4, 2, -2, -5$

이므로 $(분산) = \frac{1+16+4+4+25}{5} = \frac{50}{5} = 10$

$$\therefore (표준편차) = \sqrt{10}$$

0600 평균이 22이므로

$$(평균) = \frac{32+28+16+x+24}{5} = 22$$

$$100 + x = 110 \qquad \therefore x = 10$$

편차를 차례대로 나열하면 $10, 6, -6, -12, 2$

이므로 $(분산) = \frac{100+36+36+144+4}{5} = \frac{320}{5} = 64$

$$\therefore (표준편차) = \sqrt{64} = 8$$

0601 평균이 12회이므로

$$\frac{15+12+9+x+11+11}{6} = 12$$

$$58 + x = 72 \qquad \therefore x = 14$$

편차를 차례대로 나열하면 $3, 0, -3, 2, -1, -1$

이므로 $(분산) = \frac{9+0+9+4+1+1}{6} = \frac{24}{6} = 4$

$$\therefore (표준편차) = \sqrt{4} = 2 \, (회)$$

[다른 풀이]

평균이 12회이므로 편차를 차례대로 나열하면

$$3, 0, -3, x-12, -1, -1$$

편차의 합은 0이므로

$$3+0+(-3)+x-12+(-1)+(-1) = 0$$

$$\therefore x = 14$$

따라서 턱걸이 횟수의 편차가

$$3, 0, -3, 2, -1, -1$$

이므로 $(분산) = \frac{9+0+9+4+1+1}{6} = \frac{24}{6} = 4$

$$\therefore (표준편차) = \sqrt{4} = 2 \, (회)$$

0602 작을, C	**0603** B반	**0604** A반	**0605** D반
0606 ○	**0607** ×	**0608** ×	**0609** ×
0610 ○	**0611** ○		

0607 C반의 산포도는 5, D반의 산포도는 7이다.

0608 성적이 가장 높은 학생이 있는 반은 알 수 없다.

0609 C, D, E반의 성적은 평균이 70점으로 같다.

0612 (1) 2점, 2점　(2) 1, $\frac{2}{3}$　(3) B 학생

0613 (1) 7점, 7점, 7점　(2) $\frac{24}{5}$, $\frac{46}{5}$, $\frac{2}{5}$　(3) C 학생

0614 (1) 5점, 6점　(2) 5, 2　(3) B 모둠

0615 (1) 3점, 3점, 3점　(2) A 모둠

0612 (1) (A 학생의 평균)

$$= \frac{1+3+1+3+1+3}{6} = \frac{12}{6} = 2 \, (점)$$

(B 학생의 평균)

$$= \frac{1+2+3+1+2+3}{6} = \frac{12}{6} = 2 \, (점)$$

(2) (A 학생의 분산)

$$= \frac{(-1)^2+1^2+(-1)^2+1^2+(-1)^2+1^2}{6} = \frac{6}{6} = 1$$

(B 학생의 분산)

$$= \frac{(-1)^2+0+1^2+(-1)^2+0+1^2}{6} = \frac{4}{6} = \frac{2}{3}$$

(3) 미술 수행평가 점수의 분포가 더 고른 학생은 분산이 더 작은 B 학생이다.

0613 (1) (A 학생의 평균)

$$= \frac{4+5+8+8+10}{5} = \frac{35}{5} = 7 \, (점)$$

(B 학생의 평균)

$$= \frac{3+4+8+9+11}{5} = \frac{35}{5} = 7 \, (점)$$

(C 학생의 평균)

$$= \frac{6+7+7+7+8}{5} = \frac{35}{5} = 7 \, (점)$$

(2) (A 학생의 분산)

$$= \frac{(-3)^2+(-2)^2+1^2+1^2+3^2}{5} = \frac{24}{5}$$

(B 학생의 분산)

$$=\frac{(-4)^2+(-3)^2+1^2+2^2+4^2}{5}=\frac{46}{5}$$

(C 학생의 분산)

$$=\frac{(-1)^2+0+0+0+1^2}{5}=\frac{2}{5}$$

(3) 활쏘기 점수의 분포가 가장 고른 학생은 분산이 가장 작은 C 학생이다.

0614 (1) (A 모둠의 평균)

$$=\frac{2\times2+4\times2+6\times2+8\times2}{8}=\frac{40}{8}=5(점)$$

(B 모둠의 평균)

$$=\frac{4\times2+6\times4+8\times2}{8}=\frac{48}{8}=6(점)$$

(2) (A 모둠의 분산)

$$=\frac{(-3)^2\times2+(-1)^2\times2+1^2\times2+3^2\times2}{8}=\frac{40}{8}=5$$

(B 모둠의 분산)

$$=\frac{(-2)^2\times2+0\times4+2^2\times2}{8}=\frac{16}{8}=2$$

(3) 영어 수행평가 점수의 분포가 더 고른 모둠은 분산이 더 작은 B 모둠이다.

0615 (1) (A 모둠의 평균)

$$=\frac{2\times2+3\times4+4\times2}{8}=\frac{24}{8}=3(점)$$

(B 모둠의 평균)

$$=\frac{2\times3+3\times2+4\times3}{8}=\frac{24}{8}=3(점)$$

(C 모둠의 평균)

$$=\frac{2\times4+4\times4}{8}=\frac{24}{8}=3(점)$$

(2) (A 모둠의 분산)

$$=\frac{(-1)^2\times2+0\times4+1^2\times2}{8}=\frac{4}{8}=\frac{1}{2}$$

(B 모둠의 분산)

$$=\frac{(-1)^2\times3+0\times2+1^2\times3}{8}=\frac{6}{8}=\frac{3}{4}$$

(C 모둠의 분산)

$$=\frac{(-1)^2\times4+1^2\times4}{8}=\frac{8}{8}=1$$

따라서 영어 말하기 점수의 분포가 가장 고른 모둠은 분산이 가장 작은 A 모둠이다.

0616 ⑤	**0617** ④	**0618** 12	**0619** $\sqrt{5.2}$
0620 ④	**0621** A 학생		

0616 4명의 줄넘기 횟수의 평균은

$$\frac{81+85+88+86}{4}=85(회)$$

따라서 윤지의 줄넘기 횟수의 편차는

$$88-85=3(회)$$

0617 ④ 편차의 합은 0이므로

$$2+x+7+(-4)+2=0 \quad \therefore x=-7$$

따라서 민지의 편차는 -7권이다.

0618 $(분산)=\dfrac{(-4)^2+(-5)^2+0+4^2+5^2+1^2+(-1)^2}{7}$

$$=\frac{84}{7}=12$$

0619 평균이 10이므로

$$(평균)=\frac{14+8+x+11+9}{5}=10$$

$$42+x=50 \quad \therefore x=8 \quad\cdots\cdots ❶$$

따라서 각 변량의 편차가

$$4, -2, -2, 1, -1$$

이므로 $(분산)=\dfrac{16+4+4+1+1}{5}=\dfrac{26}{5} \quad\cdots\cdots ❷$

$$\therefore (표준편차)=\sqrt{\frac{26}{5}}=\sqrt{5.2} \quad\cdots\cdots ❸$$

채점 기준	배점
❶ x의 값 구하기	40 %
❷ 분산 구하기	40 %
❸ 표준편차 구하기	20 %

0620 ① E반의 성적이 평균 70점으로 가장 우수하다.

② A반의 성적의 산포도가 5.2로 가장 크다.

③ A반은 성적이 가장 낮고, 가장 고르지 않다.

⑤ 어느 반에 60점 미만인 학생이 가장 많은지 알 수 없다.

0621 (A 학생의 평균)

$$=\frac{1+1+1+3+4}{5}=\frac{10}{5}=2(시간)$$

(B 학생의 평균)

$$=\frac{1+2+3+4+5}{5}=\frac{15}{5}=3(시간)$$

(C 학생의 평균)

$$=\frac{2+4+6+8+10}{5}=\frac{30}{5}=6(시간)$$

(A 학생의 분산)

$$=\frac{(-1)^2+(-1)^2+(-1)^2+1^2+2^2}{5}=\frac{8}{5}$$

(B 학생의 분산)

$$=\frac{(-2)^2+(-1)^2+0+1^2+2^2}{5}=\frac{10}{5}=2$$

(C 학생의 분산)

$$=\frac{(-4)^2+(-2)^2+0+2^2+4^2}{5}=\frac{40}{5}=8$$

따라서 TV 시청 시간의 분포가 가장 고른 학생은 분산이 가장 작은 A 학생이다.

7. 산점도와 상관관계

01 산점도

본문 ○ 117쪽

0622~0626 풀이 참조

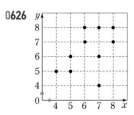

02 산점도의 분석 (1)

본문 ○ 118쪽

0627 4, 4	**0628** 2명	**0629** 6명	**0630** 5명
0631 3명	**0632** 5, 5	**0633** 6명	**0634** 5명
0635 4명			

0633 직선 $y=x$의 아래쪽에 있는 점이 6개이므로 구하는 학생 수는 6명이다.

0635 직선 $y=x$ 위의 점이 4개이므로 구하는 학생 수는 4명이다.

03 산점도의 분석 (2)

본문 ○ 119쪽

0636 1, 1	**0637** 3명	**0638** 1차 : 7점, 2차 : 9점
0639 8점	**0640** 2, 2	**0641** 수학 : 60점, 과학 : 80점
0642 5명	**0643** 5명	

0639 점수의 차가 4점이 가장 크다.

차가 4점인 선수는 1명이고, 그 선수의 점수는 1차 10점, 2차 6점이므로 평균은 $\dfrac{10+6}{2}=8$(점)이다.

0641 두 과목의 점수의 평균이 70점인 학생, 즉 합이 140점인 학생은 1명이고, 그 학생의 점수는 수학은 60점, 과학은 80점이다.

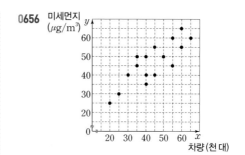

---

04 산점도의 분석 (3) 본문 ○ 120쪽

0644 A **0645** E **0646** B **0647** A
0648 3 **0649** C **0650** 2 **0651** 35
0652 D

0650 E 학생의 성적은 영어 70점, 국어 70점이므로 두 과목의 평균은 70점이다.

평균이 70점인 점은 (60, 80), (80, 60)으로 2개이므로 구하는 학생 수는 2명이다.

0651 E 학생의 성적은 영어 70점, 국어 70점이다.

전체 학생 수는 20명이고 국어와 영어가 모두 70점보다 높은 학생은 7명이므로

$$\dfrac{7}{20}\times100=35(\%)$$

0652 A(50, 60), B(70, 90), C(100, 90), D(80, 50), E(70, 70)이므로 두 과목의 성적의 차가 가장 큰 학생은 D이다.

---

05 상관관계 (1) 본문 ○ 121쪽

0653 풀이 참조 **0654** 짧아진다
0655 음의 상관관계 **0656** 풀이 참조
0657 많아진다 **0658** 양의 상관관계

0653

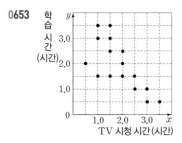

---

06 상관관계 (2) 본문 ○ 122쪽

0659 ㄴ, ㄹ, ㅂ **0660** ㄱ, ㄷ **0661** ㅁ
0662 ㄱ, ㄷ **0663** ㄴ, ㄹ, ㅂ
0664 ㅂ **0665** ㄴ **0666** ㄷ

---

07 상관관계 (3) 본문 ○ 123쪽

0667 ㄴ, 음, ㄴ **0668** ㄷ **0669** ㄱ **0670** ㄴ
0671 ㄱ **0672** ㄱ **0673** ㄱ **0674** ㄴ
0675 ㄷ **0676** ㄱ **0677** ㄴ

핵심 01~07 Mini **Review** Test 본문 ○ 124쪽

0678 5명 **0679** 15% **0680** ③ **0681** ②
0682 ④ **0683** ②

0679 국어 점수가 영어 점수보다 30점 더 높은 점은 (50, 80)으로 1개,

영어 점수가 국어 점수보다 30점 더 높은 점은 (80, 50), (90, 60)으로 2개이므로

영어와 국어 점수의 차가 30점인 학생 수는 3명이다. ⋯⋯ ❶

따라서 전체의 $\dfrac{3}{20}\times100=15(\%)$이다. ⋯⋯ ❷

채점 기준	배점
❶ 차가 30점인 학생 수 구하기	60 %
❷ 전체의 몇 %인지 구하기	40 %

0680 국어 성적이 90점 이상인 학생은 5명이고 이 5명이 읽은 책 수는 각각 10권, 11권, 12권, 13권, 14권이므로 평균은 12권이다.

0681 수면 시간이 대체로 긴 학생은 B, C, E이고, 이중 성적이 가장 좋은 학생은 B이다.

0682 양의 상관관계를 나타내는 산점도는 ④이다.

0683 ①, ⑤ : 양의 상관관계
③, ④ : 상관관계가 없다.

Memo

Memo

중학수학 **3-하**

숨마쿰라우데란 최고의 영예를 뜻하는 말입니다

숨마쿰라우데라는 말은 라틴어로 SUMMA CUM LAUDE라고 씁니다. 이는 최고의 영예를 뜻하는 말인데요. 보통 미국 아이비리그 명문 대학들의 최우수 졸업자에게 부여되는 칭호입니다. 우리나라로 치면 '수석 졸업'이라는 뜻이 지요. 그러나 모든 일에 있어서 그렇듯 공부에 있어서도 결과 뿐 아니라 과정이 중요합니다. 최선을 다하는 과정이 있으면 좋은 결과가 따라올 뿐 아니라, 그 과정을 통해 얻어진 깨달음이 평생을 함께하기 때문입니다. 이룸이앤비 숨마쿰라우데는 바로 최선을 다하는 사람 모두에게 최고의 영예를 선사합니다.

반복 학습이 진정한 실력을 키운다!

수학을 어떻게 하면 잘 할 수 있을까요?

선생님께 여쭤보면 기초를 잘 다지는 것과 공부한 것을 꾸준히 반복하는 것만큼 중요한 것은 없다고 거듭 강조합 니다. 『반복 학습이 기적을 만든다』라는 책의 저자는 "공부를 잘하는 학생은 '반복'에 강한 학생이다. 그들은 자기가 얼마만큼 '반복'하면 그 지식을 자기 것으로 만들 수 있는지 잘 알고 있다."고 말하면서 반복하는 습관을 가지는 것이 실력을 높이는 방법이라고 설명하였습니다. 숨마쿰라우데 스타트업은 반복 학습의 중요성을 담아 한 개념 한 개념 체계적으로 구성한 교재입니다. 한 개념 한 개념 매일매일 꾸준히 공부하고 부족한 개념은 반복하여 풀어 봄 으로써 진정한 실력을 쌓을 수 있기를 바랍니다.

이룸이앤비로 통하는 **HOT LINE**

CALL
02) 424 - 2410

FAX
02) 424 - 5006

INTERNET
www.erumenb.com

E-MAIL
webmaster @ erumenb.com

학습 교재의 새로운 신화! 이룸이앤비가 만듭니다!

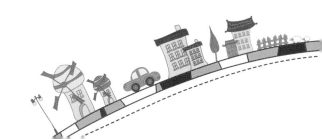

이룸이앤비의 특별한 중등 영어교재 시리즈

숨마 주니어® WORD MANUAL 시리즈

중학 주요 어휘 총 2,200단어를 수록한

『어휘』와 『독해』를 한번에 공부하는 중학 영어휘 기본서! (전 3권)

- WORD MANUAL ❶
- WORD MANUAL ❷
- WORD MANUAL ❸

숨마 주니어® 중학 영문법 MANUAL 119 시리즈

중학 영어 문법 마스터를 위한

핵심 포인트 119개를 담은 단계별 문법서! (전 3권)

- 중학 영문법 MANUAL 119 ❶
- 중학 영문법 MANUAL 119 ❷
- 중학 영문법 MANUAL 119 ❸

숨마 주니어® 중학 영어 문장 해석 연습 시리즈

중학 영어 교과서에서 뽑은 핵심 60개 구문!

1,200여 개의 짧은 문장으로 반복 훈련하는 워크북! (전 3권)

- 중학 영어 문장 해석 연습 ❶
- 중학 영어 문장 해석 연습 ❷
- 중학 영어 문장 해석 연습 ❸

숨마 주니어® 중학 영어 문법 연습 시리즈

중학 영어 필수 문법 56개를

쓰면서 마스터하는 문법 훈련 워크북!! (전 3권)

- 중학 영어 문법 연습 ❶
- 중학 영어 문법 연습 ❷
- 중학 영어 문법 연습 ❸